KB076690

도서명 R2B 확률과 통계

발 행 | 2024년 06월 17일
저 자 | 지혜숲 수학전문학원
펴낸이 | 한건희
펴낸곳 | 주식회사 부크크
출판사등록 | 2014.07.15.(제2014-16호)
주 소 | 서울특별시 금천구 가산디지털1로 119 SK트윈타워 A동 305호
전 화 | 1670-8316
이메일 | info@bookk.co.kr

ISBN | 979-11-410-8991-7

www.bookk.co.kr

여러 가지 순열

1. 중복순열

서로 다른 n개에서 중복을 허락하여 r개를 나열하는 것을 중복순열 이라고 하며 기호로 ${}_n\Pi_r$와 같이 나타낸다. ${}_n\Pi_r = n^r$

중복순열 문제를 풀 때 n과 r의 위치를 결정하는 것이 포인트이다. 기계적으로 외우지 말고 그림을 그린 후 상황에 맞는 n과 r의 값을 결정하는 게 좋다. 또는 정의역과 공역으로 비유해 n과 r의 값을 결정하는 것도 괜찮은 방법이다.

예1 세 수 $1,2,3$을 중복을 허락하여 만들 수 있는 4자리 자연수의 개수를 구하시오.

예2 네 개의 수 $0,1,2,3$을 중복을 허락하여 만들 수 있는 5자리 짝수의 개수를 구하시오.

예3 숫자 1부터 5까지 중에서 중복을 허락하여 네 개를 택해 일렬로 나열하여 만든 네 자리의 자연수가 5의 배수인 경우의 수를 구하시오.

여러 가지 순열

예4　여섯 개의 숫자 $0, 1, 2, 3, 4, 5$에서 중복을 허용하여 만들 수 있는 네 자리의 자연수 중 짝수의 개수를 구하시오.

예5　회문수는 앞으로 읽으나 뒤로 읽으나 같은수를 말한다. 이때 5자리의 자연수 중 회문수의 개수를 구하시오.

예6　1층에서 5명이 엘리베이터를 타고 출발하였다. 이들은 4층부터 7층까지 어느 한 층에서 내리며 7층에서는 엘리베이터에 남은 사람들은 모두 내린다. 내리는 모든 방법의 수를 구하여라. (단, 2,3층은 멈추지 않고 한 층에서 모두 내릴 수 있다.)

여러 가지 순열

2. 같은 것이 있는 순열

n개 중에서 서로 같은 것이 각각 p개, q개, $\cdots$, r개씩 있을 때, n개를 일렬로 나열하는 경우의 수 $\dfrac{n!}{p!q!\cdots r!}$ (단, $p+q+\cdots+r=n$)

예1 다섯 개의 숫자 $3, 3, 5, 5, 9$를 모두 이용하여 만들 수 있는 다섯 자리 자연수의 개수를 구하시오.

예2 6개의 숫자 $0, 2, 3, 3, 5, 5$를 모두 사용하여 만들 수 있는 여섯 자리 자연수 중 5의 배수의 개수를 구하시오.

예3 7개의 숫자 $1, 1, 1, 2, 2, 3, 4$중 4개를 택하여 만들 수 있는 네 자리 정수 중 3의 배수의 개수를 구하시오.

여러 가지 순열

3. 같은 것이 있는 순열의 활용

1) 순서가 정해진 순열

서로 다른 n개 중에서 특정한 r개의 순서가 정해졌을 때, 나열하는 경우의 수 $\frac{n!}{r!}$

예1 $study$에 있는 5개의 문자를 일렬로 나열할 때, y가 d보다 앞에 오도록 나열하는 경우의 수를 구하시오.

예2 6개의 문자 a, b, c, d, e, f를 일렬로 나열할 때, f는 c보다 앞에 오고, e는 b보다 앞에 오도록 하는 경우의 수를 구하시오.

예3 3개 과목에 각각 2개의 수준으로 구성된 6개의 과제가 있다. 각 과목의 과제는 수준 I의 과제를 제출한 후에만 수준 II의 과제를 제출할 수 있다. 예를 들어
'국어I→수학I→국어II→영어I→영어II→수학II' 순서로 과제를 제출할 수 있다.
6개의 과제를 모두 제출할 때, 제출 순서를 정하는 경우의 수를 구하시오.

지혜숲 수학전문학원

여러 가지 순열

2) 최단 거리로 가는 경우의 수
도로망이 주어져 있을 때 같은 것이 있는 순열을 이용해 최단 경로로 이동하는 경우의 수를 구할 수 있다.

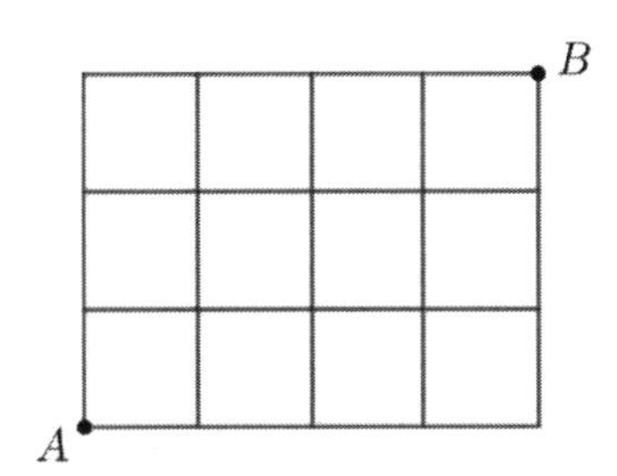

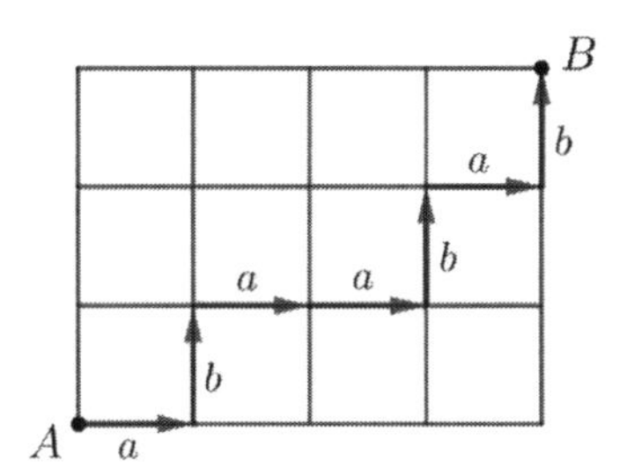

이동방향에 따른 횟수는 a가 4개, b개 3개 총 7개의 방향이 있고 이를 나열하는 경우의 수와 같다. 따라서 $\frac{7!}{4!3!}=35$이다. 두 번째 방법으로는 합의 법칙을 이용하는 풀이가 있다.

※ 최단 거리의 활용

예1

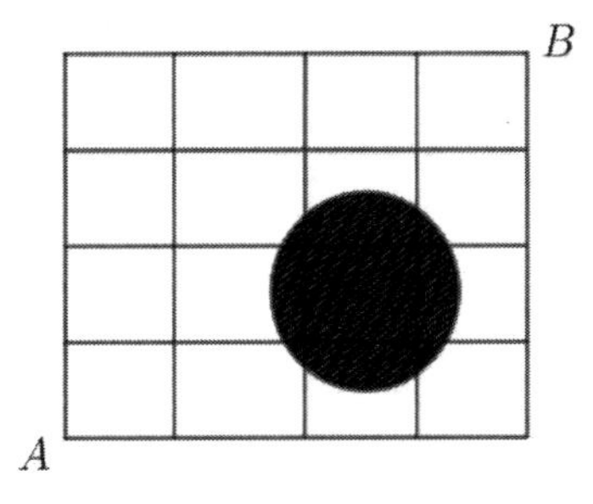

1) 경유점을 이용

2) 합의 법칙을 이용

예2

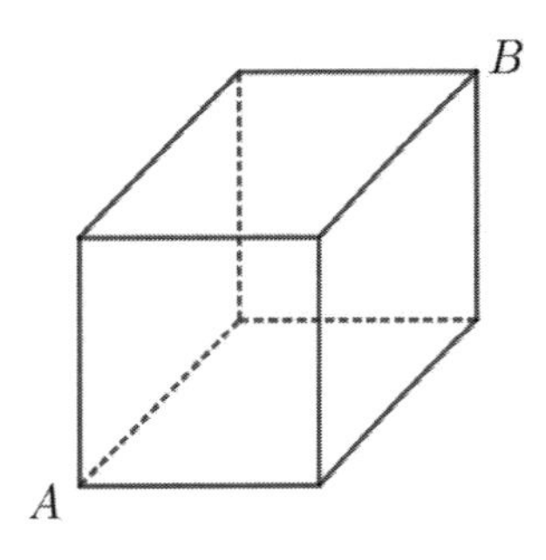

1) 같은 것이 있는 순열을 이용

2) 합의 법칙을 이용

여러 가지 순열

1) 서로 다른 종류의 연필 6자루를 세 사람 A, B, C에게 남김없이 나누어 주려고 한다. 이때 A가 연필을 한 자루 이하로 받을 경우의 수는? (단, 연필을 받지 않는 사람이 있어도 된다.)

① 226 ② 236 ③ 246
④ 256 ⑤ 266

2) 숫자 $1, 2, 3, 4, 5$중에서 중복을 허락하여 5개를 택해 일렬로 나열하여 만든 다섯 자리의 자연수 중에서 다음 조건을 만족시키는 N의 개수는?

(가) N은 홀수이다.	(나) $10000 < N < 30000$

① 720 ② 730 ③ 740
④ 750 ⑤ 760

여러 가지 순열

3) 다음 조건을 만족시키는 자연수 a,b,c,d의 순서쌍 (a,b,c,d)의 개수는?

(가) $abcd=8$	(나) $a+b+c+d<10$

① 10　② 12　③ 14　④ 16　⑤ 18

4) 세 문자 A, B, C에서 중복을 허락하여 각각 홀수 개씩 모두 7개를 선택하여 일렬로 나열하는 경우의 수를 구하시오. (단, 모든 문자는 한 개 이상씩 선택한다.)

여러 가지 순열

5) 흰색 깃발 5개, 파란색 깃발 5개를 일렬로 모두 나열할 때, 양 끝에 흰색 깃발이 놓이는 경우의 수는? (단, 같은 색 깃발끼리는 서로 구별하지 않는다.)

① 56　② 63　③ 70

④ 77　⑤ 84

6) 3개의 문자 A, B, C를 포함한 서로 다른 6개의 문자를 모두 한 번씩 사용하여 일렬로 나열할 때, 두 문자 B와 C사이에 문자 A를 포함하여 1개 이상의 문자가 있도록 나열하는 경우의 수는?

① 180　② 200　③ 220

④ 240　⑤ 260

여러 가지 순열

7) 1부터 6까지의 자연수가 하나씩 적혀 있는 6장의 카드가 있다. 이 카드를 모두 한 번씩 사용하여 일렬로 나열할 때, 2가 적혀 있는 카드는 4가 적혀 있는 카드보다 왼쪽에 나열하고 홀수가 적혀 있는 카드는 작은 수부터 크기 순서로 왼쪽부터 나열하는 경우의 수는?

① 56 ② 60 ③ 64
④ 68 ⑤ 72

8) 그림과 같이 직사각형 모양으로 연결된 도로망이 있다. 이 도로망을 따라 A지점에서 출발하여 P지점을 지나 B지점까지 최단 거리로 가는 경우의 수는?
(단, 한번 지난 도로는 다시 지날 수 있다.)

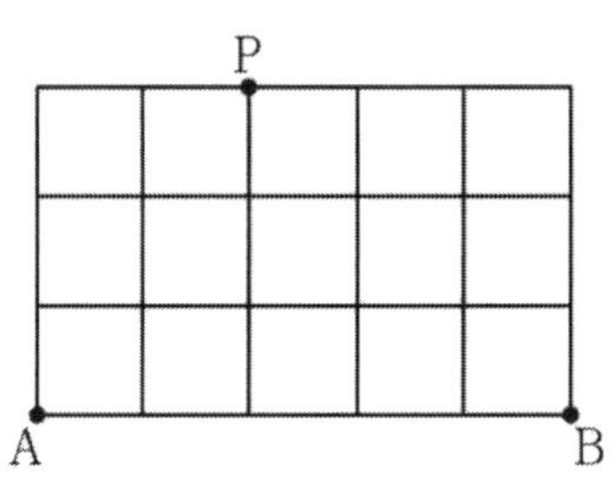

① 200 ② 210 ③ 220
④ 230 ⑤ 240

여러 가지 순열

9) 그림과 같은 모양의 도로망이 있다. 지점 A에서 지점 B까지 도로를 따라 최단 거리로 가는 경우의 수는? (단, 가로 방향 도로와 세로 방향 도로는 각각 서로 평행하다.)

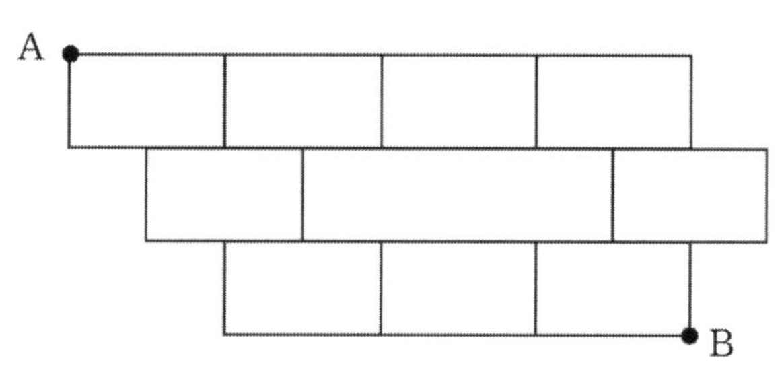

① 14 ② 16 ③ 18

④ 20 ⑤ 22

---

1) ④
2) ④
3) ④
4) 546
5) ①
6) ④
7) ②
8) ①
9) ①

중복조합

- 순열: 서로 다른 n개에서 r개를 나열하는 경우 $\left({}_nP_r = \frac{n!}{(n-r)!}\right)$
- 조합: 서로 다른 n개에서 r개를 선택하는 경우 $\left({}_nC_r = \frac{{}_nP_r}{r!}\right)$
- 중복순열: 서로 다른 n개에서 중복을 허락해 r개를 나열하는 경우 $\left({}_n\Pi_r = n^r\right)$
- 중복조합: 서로 다른 n개에서 중복을 허락해 r개를 선택하는 경우 $\left({}_nH_r\right)$

1. 중복조합의 정의

중복조합은 고유 연산체계가 없으므로 조합을 이용해서 재해석해야 한다. 중복조합을 이해하기 위한 두 가지 상황을 설명하면 다음과 같다.

서로 다른 것으로 간주	칸막이 이용
1,2를 중복으로 허락해 3개를 선택	1,2를 중복으로 허락해 3개를 선택
${}_nH_r = {}_{n+r-1}C_r$	

중복조합

2. 중복조합의 다양한 상황

1) 부정방정식의 해

예1 $x+y+z=5$을 만족한 음이 아닌 정수 (x,y,z)의 순서쌍의 개수

예2 $x+y+z=5$을 만족한 양의 정수 (x,y,z)의 순서쌍의 개수

예3 사과, 배, 귤 3종류 과일 중에서 중복을 허락해 6개의 과일을 사는 경우

예4 $x+y+z=10$을 만족하고 x는 짝수, y,z는 홀수인 자연수의 개수

예5 $x+y+z=10$을 만족하고 $x \geq 2, y \geq 1, z \geq 0$을 만족하는 정수 해의 개수

지혜숲 수학전문학원

중복조합

2) 등식과 부등식이 주어진 경우

부등식이 주어지면 이미 순서가 정해졌으므로 배열이 끝났음을 의미한다. 즉, 순서를 고려할 필요가 없으므로 조합을 이용해서 문제를 해결한다.

예1 $3 \le a \le b \le c \le d \le 9$을 만족하는 자연수 (a,b,c,d)의 개수

예2 부등식 $x+y+z<6$을 만족시키는 음이 아닌 정수해 x, y, z의 순서쌍 (x, y, z)의 개수를 구하시오.

예3 5이하의 자연수 a, b, c, d에 대하여 부등식 $a \le b+1 \le c \le d$를 만족시키는 모든 순서쌍 (a, b, c, d)의 개수를 구하시오.

중복조합

1) 세 정수 a, b, c에 대하여 $1 \le |a| \le |b| \le |c| \le 5$를 만족시키는 모든 순서쌍 (a, b, c)의 개수는?

① 360 ② 320 ③ 280
④ 240 ⑤ 200

2) 같은 종류의 공책 10권을 4명의 학생 A, B, C, D에게 남김없이 나누어 줄 때, A와 B가 각각 2권 이상의 공책을 받도록 나누어 주는 경우의 수는?
(단, 공책을 받지 못하는 학생이 있을 수 있다.)

① 76 ② 80 ③ 84
④ 88 ⑤ 92

중복조합

3) 다음 조건을 만족시키는 음이 아닌 정수 a, b, c, d의 모든 순서쌍 (a, b, c, d)의 개수는?

(가) $a+b+c+3d=10$	(나) $a+b+c \le 5$

① 18　② 20　③ 22　④ 24　⑤ 26

4) 같은 종류의 사탕 5개를 3명의 아이에게 1개 이상씩 나누어 주고, 같은 종류의 초콜릿 5개를 1개의 사탕을 받은 아이에게만 1개 이상씩 나누어 주려고 한다. 사탕과 초콜릿을 남김없이 나누어 주는 경우의 수를 구하시오.

중복조합

5) 1부터 1000까지의 자연수 중 409와 같이 각 자리의 숫자의 합이 13이 되는 자연수의 개수를 구하시오.

6) 네 명의 학생 A, B, C, D에게 같은 종류의 사인펜 14개를 다음 규칙에 따라 남김없이 나누어 주는 경우의 수를 구하시오.

(가) 각 학생은 1개 이상의 사인펜을 받는다. (나) 각 학생이 받는 사인펜의 개수는 9이하이다. (다) 적어도 한 학생은 짝수 개의 사인펜을 받는다.

1) ③
2) ③
3) ①
4) 15
5) 75
6) 218

이항정리의 뜻과 활용

1. 정의

자연수 n에 대하여 $(a+b)^n$의 전개식을 조합의 수를 이용하여 나타낸 식

$(a+b)^n = {}_nC_0a^n + {}_nC_1a^{n-1}b + \cdots + {}_nC_ra^{n-r}b^r + \cdots + {}_nC_nb^n$

예1 $(2x-1)^5$의 전개식에서 x^2의 계수를 구하시오.

예2 $\left(x^2 + \dfrac{1}{x}\right)^6$의 전개식에서 x^3의 계수를 구하시오.

예3 $(1+2x)^4(1-x)^5$의 전개식에서 x^2의 계수를 구하시오.

지혜숲 수학전문학원

이항정리의 뜻과 활용

2. 활용

1) 파스칼의 삼각형

$(a+b)^n$의 전개식에서 각 항의 이항계수를 삼각형 형태로 배열한 것

${}_nC_r = {}_{n-1}C_{r-1} + {}_{n-1}C_r$

이항정리의 뜻과 활용

2) 이항계수의 성질

$(1+x)^n = {}_nC_0 + {}_nC_1x + {}_nC_2x^2 + \cdots + {}_nC_nx^n$ 전개식에서 식의 일반화 도출

① ${}_nC_0 + {}_nC_1 + {}_nC_2 + \cdots + {}_nC_n = 2^n \rightarrow x = 1$대입

② ${}_nC_0 - {}_nC_1 + {}_nC_2 - \cdots + (-1)^n {}_nC_n = 0 \rightarrow x = -1$대입

③ ${}_nC_0 + {}_nC_2 + {}_nC_4 + \cdots + {}_nC_{2k} = 2^{n-1} \rightarrow$ ①+②, k는 음이 아닌 정수

${}_nC_1 + {}_nC_3 + {}_nC_5 + \cdots + {}_nC_{2k+1} = 2^{n-1} \rightarrow$ ①−②, k는 음이 아닌 정수

④ $({}_nC_0)^2 + ({}_nC_1)^2 + ({}_nC_2)^2 + \cdots + ({}_nC_n)^2 = {}_{2n}C_n \rightarrow (1+x)^{2n}$ 전개식의 일반화

예1 ${}_nC_1 + {}_nC_2 + \cdots + {}_nC_n = 63$을 만족하는 자연수 n의 값을 구하시오.

예2 ${}_{15}C_8 + {}_{15}C_9 + \cdots + {}_{15}C_{14} + {}_{15}C_{15}$의 값을 구하시오.

예3 ${}_{100}C_1 - {}_{100}C_2 + {}_{100}C_3 - {}_{100}C_4 + \cdots - {}_{100}C_{98} + {}_{100}C_{99}$의 값을 구하시오.

이항정리의 뜻과 활용

1) $(1+x)+(1+x)^2+\cdots+(1+x)^{10}=a_0+a_1x+a_2x^2+\cdots+a_{10}x^{10}$의 전개식에서 a_6의 값은?

① ${}_{10}C_7$　② ${}_{10}C_8$　③ ${}_{11}C_7$

④ ${}_{11}C_8$　⑤ ${}_{12}C_7$

2) 다항식 $2(x+a)^n$의 전개식에서 x^{n-1}의 계수와 다항식 $(x-1)(x+a)^n$의 전개식에서 x^{n-1}의 계수가 같게 되는 모든 순서쌍 (a,n)에 대하여 an의 최댓값을 구하시오. (단, a는 자연수이고, $n \geq 2$인 자연수이다.)

지혜숲 수학전문학원

이항정리의 뜻과 활용

3) 11^{25}의 백의 자리의 숫자를 a, 십의 자리의 숫자를 b, 일의 자리의 숫자를 c라 할 때, $a+b+c$의 값을 구하시오.

4) $\dfrac{{}_{55}C_1+{}_{55}C_3+{}_{55}C_5+\cdots+{}_{55}C_{55}}{{}_{55}C_0+{}_{55}C_1+{}_{55}C_2+\cdots+{}_{55}C_{55}}$의 값은?

① $\dfrac{1}{55}$ ② $\dfrac{1}{28}$ ③ $\dfrac{1}{10}$

④ $\dfrac{1}{4}$ ⑤ $\dfrac{1}{2}$

5) 21^{21}을 400으로 나누었을 때의 나머지는?

① 19 ② 20 ③ 21

④ 22 ⑤ 23

6) 집합 $A=\{1,2,3,\cdots,19,20\}$의 부분집합 중 원소의 개수가 짝수인 집합의 개수를 구하시오.

---

1) ③
2) 12
3) 8
4) ⑤
5) ③
6) 2^{19}

함수의 개수

- 함수의 개수
  - 순열
    - 함수
    - 일대일함수
  - 조합
    - 증가함수, 감소함수
    - 단조증가함수, 단조감소함수
  - 조 나누기
    - 치역=공역
    - 합성함수

1. 순열과 조합을 이용한 함수의 개수

두 집합 X와 Y에 대하여 $n(X)=a$, $n(Y)=b$일 때, X에서 Y로의 함수 f에 대하여

① 함수의 개수 b^a (중복순열)

② $x_1 \neq x_2$이면 $f(x_1) \neq f(x_2)$인 함수의 개수 ${}_bP_a$ (순열)

③ $x_1 < x_2$이면 $f(x_1) < f(x_2)$인 함수의 개수 ${}_bC_a$ (조합)

④ $x_1 < x_2$이면 $f(x_1) \leq f(x_2)$인 함수의 개수 ${}_bH_a$ (중복조합)

예1 $X=\{1,2,3\}$, $Y=\{1,2,3,4\}$일 때, 함수 $f: X \to Y$중 다음 조건을 만족하는 함수의 개수를 구하시오.

1) 함수의 개수

2) 일대일 함수의 개수

3) $x_1 < x_2$ 일 때, $f(x_1) < f(x_2)$를 만족하는 함수의 개수

4) $x_1 < x_2$ 일 때, $f(x_1) \leq f(x_2)$를 만족하는 함수의 개수

함수의 개수

2. 조 나누기를 이용한 함수의 개수

① 공역 원소의 개수가 2개면 여사건이, 3개 이상은 조 나누기로 해결한다.
② 정의역에서는 분할, 공역에서는 분배의 아이디어를 이용한다.
③ 조를 나눈 후 각각 다른 상황이라면 합의법칙으로 계산한다.

예1 $A=\{0,1,2,3,4\}$, $B=\{0,1\}$일 때, $f:A\to B$중 공역과 치역이 일치하는 함수의 개수를 구하시오.

예2 $A=\{0,1,2,3\}$, $B=\{0,1,2\}$일 때, $f:A\to B$중 공역과 치역이 일치하는 함수의 개수를 구하시오.

예3 집합 $X=\{-2,-1,0,1,2\}$에 대하여 다음 조건을 만족시키는 X에서 X로의 함수 f의 개수를 구하시오.

함수의 개수

1) 집합 $X=\{1,2,3,4,5\}$에 대하여 X에서 X로의 함수 f중에서 $f(1)=f(4)>3$인 함수의 개수를 구하시오.

2) 집합 $X=\{1,2,3,4,5\}$에서 집합 $Y=\{2,4,6,8,10\}$으로의 함수 중에서 다음 조건을 만족시키는 함수 f의 개수를 구하시오.

(가) $f(2)\times f(4)$는 8의 약수이다.
(나) $x \geq 3$이면 $f(x)\leq 2f(2)$이다.

함수의 개수

3) 두 집합 $X=\{1,2,3,4,5\}$, $Y=\{0,1,2,3,4,5\}$에 대하여 다음 조건을 모두 만족시키는 X에서 Y로의 함수 f의 개수는?

(가) $f(3)=3$
(나) $f(1)\le f(2)\le f(3)\le f(4)\le f(5)$

① 58 ② 60 ③ 62
④ 64 ⑤ 66

4) 집합 $X=\{1,2,3,4,5,6\}$에 대하여 다음 두 조건을 만족시키는 함수 $f:X\to X$의 개수를 구하시오.

(가) $f(1)\le f(2)< f(3)\le f(4)$
(나) $f(5)< f(6)$

함수의 개수

5) 두 집합 $X=\{1,2,3,4,5\}$, $Y=\{1,2,3,4,5,6,7,8\}$에 대하여 함수 $f:X\to Y$중에서 다음 조건을 모두 만족시키는 함수 f의 개수를 구하시오.

(가) $f(1)f(3)=8$ (나) 집합 X의 임의의 두 원소 a, b에 대하여 $a<b$이면 $f(a)\leq f(b)$이다.

6) 집합 $X=\{1,2,3,4\}$를 정의역과 공역으로 하고 다음 조건을 만족시키는 함수 f중에서 임의로 하나를 택할 때, 택한 함수 f의 치역의 원소의 개수가 2인 경우의 수를 구하시오.

$f(1)+f(2)+f(3)=7$

함수의 개수

7) 집합 $X=\{0,1,2,3,4\}$에 대하여 X에서 X로의 함수 f중 다음 조건을 만족시키는 함수의 개수는?

(가) 집합 X의 임의의 두 원소 x_1, x_2에 대하여 $x_1 < x_2$이면 $f(x_1) \leq f(x_2)$이다.
(나) 함수 f의 치역의 모든 원소의 합은 6이다.

---

1) 250
2) 120
3) ②
4) 1050
5) 53
6) 12
7) 20

확률의 뜻과 활용

1. 용어정리

1) 시행: 같은 조건을 반복하고, 그 결과가 우연에 의해 결정되는 실험이나 관찰

2) 표본공간($sample\,space$): 시행에서 일어날 수 있는 모든 결과의 집합

3) 근원사건: 각각의 시행

4) 전사건: 반드시 일어나는 사건, 표본공간과 같다.

5) 공사건: 절대로 일어나지 않는 사건, 공집합과 같다.

6) 배반사건: 두 사건 A, B가 동시에 일어나지 않는 사건 $A \cap B = \varnothing$

7) 여사건: 사건 A가 일어나지 않는 사건, A^C와 같이 나타낸다.

예1 동전 1개와 주사위 1개를 동시에 던지는 시행에서 표본공간을 S, 동전의 앞면과 주사위의 짝수의 눈이 나오는 사건을 A라 하자. 이때 $n(S)+n(A)$의 값을 구하시오.

예2 20의 양의 약수가 하나씩 적혀 있는 정육면체를 한 번 던질 때, 소수의 눈이 나오는 사건을 A, 4의 배수의 눈이 나오는 사건을 B, 5와 서로소의 눈이 나오는 사건을 C라 하자. 짝지어진 두 사건이 배반사건인 것만을 <보기>에서 고르시오.

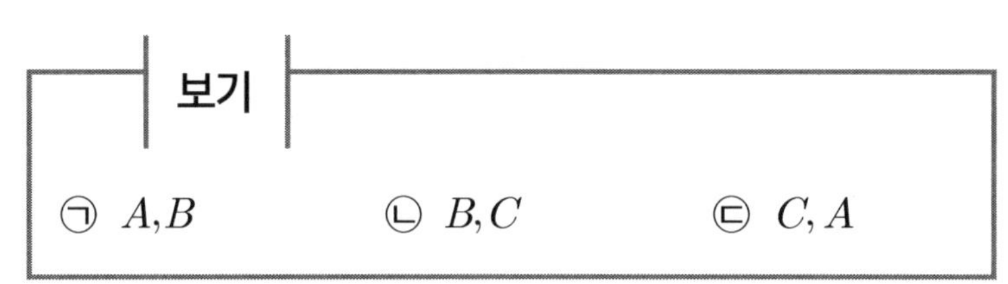

확률의 뜻과 활용

2. 확률

1) 정의: 어떤 시행에서 사건 A가 일어날 가능성을 의미하고 $P(A)$로 나타낸다.

2) 수학적 확률: 표본공간이 S인 어떤 시행에서 각 근원사건이 일어날 가능성이 모두 같은 정도로 기대될 때, 사건 A가 일어날 확률 $P(A)$를 다음과 같이 나타낸다.

$$P(A)=\frac{n(A)}{n(S)}=\frac{\text{사건 }A\text{가 일어나는 경우의 수}}{\text{표본공간 }S\text{가 일어나는 경우의 수}}$$

3) 통계적 확률: 일어날 가능성이 같은 정도로 기대되지 않을 때, 같은 시행을 여러 번 반복하여 구한 통계적 자료를 통해 사건이 일어날 확률을 정의한다.

시행 $\rightarrow\infty$일 때, 통계적 확률 $\rightarrow$ 수학적 확률

3. 확률의 기본성질

표본공간 S의 임의의 사건 A에 대하여 $\varnothing \subset A \subset S$ 이므로 다음이 성립한다.

1) 임의의 사건 A에 대하여 $0 \le P(A) \le 1$

2) 반드시 일어나는 사건 S에 대하여 $P(S)=1$

3) 절대로 일어나지 않는 사건 $\varnothing$에 대하여 $P(\varnothing)=0$

예1 서로 다른 두 개의 주사위를 동시에 던질 때, 나오는 두 눈의 수의 합이 3의 배수일 확률을 구하시오.

예2 주사위 한 개를 480회 던졌을 때, 6의 약수의 눈이 나올 횟수를 구하시오.

확률의 뜻과 활용

4. 확률의 덧셈정리

두 사건 A, B에 대하여 $P(A \cup B) = P(A) + P(B) - P(A \cap B)$

두 사건 A, B가 서로 배반사건, 즉 $A \cap B = \varnothing$이면 $P(A \cup B) = P(A) + P(B)$

5. 여사건

사건 A의 여사건 A^C에 대하여 $P(A^C) = 1 - P(A)$

예1 1부터 200까지의 자연수가 각각 하나씩 적힌 200장의 카드에서 임의로 한 장의 카드를 뽑을 때, 5의 배수 또는 7의 배수가 적힌 카드가 나올 확률을 구하시오.

예2 빨간 공 2개, 파란 공 3개, 흰 공 1개, 검은 공 2개가 들어 있는 상자에서 1개의 공을 꺼낼 때, 파란 공 또는 흰 공이 나올 확률을 구하시오.

예3 한 개의 주사위를 두 번 던져서 나오는 눈의 수를 차례로 a, b라고 할 때, $4a^2 - 12ab + 9b^2 > 0$일 확률을 구하시오.

지혜숲 수학전문학원

확률의 뜻과 활용

1) 두 사건 A와 B는 서로 배반사건이고 $P(A)=\frac{1}{6}$, $P(A\cup B)=\frac{1}{2}$일 때, $P(B)$의 값은?

① $\frac{1}{6}$ ② $\frac{1}{4}$ ③ $\frac{1}{3}$

④ $\frac{5}{12}$ ⑤ $\frac{1}{2}$

2) 주머니 A에는 1부터 3까지의 자연수가 하나씩 적혀 있는 3장의 카드가 들어 있고, 주머니 B에는 1부터 5까지의 자연수가 하나씩 적혀 있는 5장의 카드가 들어 있다. 두 주머니 A, B에서 각각 카드를 임의로 한 장씩 꺼낼 때, 꺼낸 두 장의 카드에 적힌 수의 차가 1일 확률은?

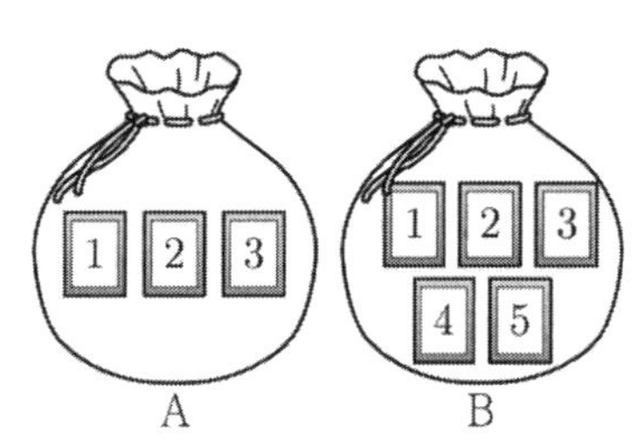

① $\frac{1}{3}$ ② $\frac{2}{5}$ ③ $\frac{7}{15}$

④ $\frac{8}{15}$ ⑤ $\frac{3}{5}$

확률의 뜻과 활용

3) 두 집합 $A=\{1,2,3,4\}$, $B=\{1,2,3\}$에 대하여 A에서 B로의 모든 함수 f중에서 임의로 하나를 선택할 때, 이 함수가 다음 조건을 만족시킬 확률은?

$f(1)\geq 2$이거나 함수 f의 치역은 B이다.

① $\frac{16}{27}$ ② $\frac{2}{3}$ ③ $\frac{20}{27}$

④ $\frac{22}{27}$ ⑤ $\frac{8}{9}$

4) 여섯 개의 숫자 $0,1,3,5,6,8$중 서로 다른 세 숫자를 사용하여 세 자리 자연수를 만들 때, 만든 수가 홀수일 확률을 구하시오.

확률의 뜻과 활용

5) 집합 $X=\{1,2,3,4,5,6\}$에 대하여 X에서 X로의 함수 중에서 임의로 택한 한 함수를 f라 하자. X의 임의의 두 원소 a, b에 대하여 $a+b=7$이면 $f(a)=f(b)$이 확률은?

① $\frac{1}{18}$ ② $\frac{1}{36}$ ③ $\frac{1}{54}$

④ $\frac{1}{108}$ ⑤ $\frac{1}{216}$

6) 방정식 $a+b+c=9$를 만족시키는 음이 아닌 정수 a, b, c의 모든 순서쌍 (a, b, c)중에서 임의로 한 개를 선택할 때, 선택한 순서쌍(a, b, c)가 $a<2$ 또는 $b<2$를 만족시킬 확률은 $\frac{q}{p}$이다. $p+q$의 값을 구하시오. (단, p와 q는 서로소인 자연수이다.)

---

1) ③
2) ①
3) ④
4) $\frac{12}{25}$
5) ⑤
6) 89

조건부확률

1. 정의

표본공간 S의 두 사건 A, B에 대하여 사건 A가 일어났다는 조건에서 사건 B가 일어날 확률, 기호로 $P(B|A)$라고 나타낸다.

- $P(B|A)=\dfrac{P(A\cap B)}{P(A)}$
- $P(B^C|A)=1-P(B|A)$

예1 1개의 주사위를 한번 던진다. 나오는 눈이 짝수일 때, 그 수가 소수일 확률을 구하시오.

예2 어느 비행기의 탑승객 100명에 대하여 한국인 수와 외국인 수를 조사한 것이다. 이 비행기의 탑승객 중에서 임의로 뽑은 한 명이 한국인일 때, 이 탑승객이 남자일 확률을 구하시오.

	남자	여자	합계
한국인	40	25	65
외국인	15	20	35
합계	55	45	100

조건부확률

2. 확률의 곱셈정리

두 사건 A, B에 대하여 $P(A) > 0$, $P(B) > 0$일 때,

$P(A \cap B) = P(A)P(B|A) = P(B)P(A|B)$ → 사건의 연속성

예1 주사위를 던져 3의 배수가 나오면 동전을 3번 던지고 3의 배수가 나오지 않으면 동전을 2번 던진다. 이때, 동전의 앞면이 2번 나올 확률을 구하시오.

※ 사건의 발생순서에 따른 조건부확률의 재해석

1) 먼저 일어난 사건을 조건으로 할 때

$P(B|A)$: 사건 A의 발생 결과를 반영하여 사건 B의 확률을 계산한다.

예2 비가 온 다음 날에 비가 올 확률은 0.4, 비가 오지않은 날의 다음 날에 비가 올 확률은 0.3이다. 월요일에 비가 왔을 때, 같은 주 수요일에 비가 올 확률을 구하시오.

2) 나중에 일어날 사건을 조건으로 할 때

$P(A|B) = P(A \cap B)$, $P(A^C \cap B)$중에서 $P(A \cap B)$ $P(B) = P(A \cap B) + P(A^C \cap B)$,

$$P(A|B) = \frac{P(A \cap B)}{P(A \cap B) + P(A^C \cap B)}$$

예3 당첨제비 3개를 포함한 8개의 제비에서 갑, 을의 순서로 하나씩 비복원으로 제비를 뽑는다. 을이 당첨되었을 때 갑이 당첨될 확률은?

조건부확률

1) 남학생 수와 여학생 수의 비가 $2:3$인 어느 고등학교에서 전체 학생의 70%가 K자격증을 가지고 있고, 나머지 30%는 가지고 있지 않다. 이 학교의 학생 중에서 임의로 한 명을 선택할 때, 이 학생이 K자격증을 가지고 있는 남학생일 확률이 $\frac{1}{5}$이다. 이 학교의 학생 중에서 임의로 선택한 학생이 K자격증을 가지고 있지 않을 때, 이 학생이 여학생일 확률은?

① $\frac{1}{4}$　② $\frac{1}{3}$　③ $\frac{5}{12}$

④ $\frac{1}{2}$　⑤ $\frac{7}{12}$

2) 어느 학교 전체 학생의 60%는 버스로, 나머지 40%는 걸어서 등교하였다. 버스로 등교한 학생의 $\frac{1}{20}$이 지각하였고, 걸어서 등교한 학생의 $\frac{1}{15}$이 지각하였다. 이 학교 전체 학생 중 임의로 선택한 1명의 학생이 지각하였을 때, 이 학생이 버스로 등교하였을 확률은?

① $\frac{3}{7}$　② $\frac{9}{20}$　③ $\frac{9}{19}$

④ $\frac{1}{2}$　⑤ $\frac{9}{17}$

조건부확률

3) A공장, B공장은 각각 10대, 30대의 기계를 보유하고 있고, A공장, B공장이 보유한 기계가 고장이 날 확률은 각각 $2\%, x\%$이다. A공장과 B공장이 보유한 기계 40대중 임의로 택한 기계 한 대가 고장이 났다고 할 때, 이 기계가 A공장이 보유한 기계일 확률은 $\frac{1}{10}$이다. x의 값을 구하시오.

4) 다음 표는 어느 반 학생 40명을 대상으로 안경 착용 여부를 조사하여 나타낸 것이다. 이 반에서 임의로 한 학생을 택할 때, 남학생인 사건을 A, 안경을 쓴 학생인 사건을 B라 하자. $P(B^C|A)$를 구하시오.

	착용	미착용	합계
남학생 수	10	8	18
여학생 수	13	9	22
합계	23	17	40

조건부확률

5) 6개의 숫자 $1, 2, 2, 3, 3, 3$을 모두 일렬로 나열하여 만든 여섯 자리의 자연수 전체의 집합에서 임의로 택한 한 자연수를 N이라 하자. 자연수 N의 백의 자리의 수가 3일 때, 천의 자리의 수와 십의 자리의 수 중 적어도 하나는 2일 확률은?

① $\frac{1}{2}$ ② $\frac{3}{5}$ ③ $\frac{7}{10}$

④ $\frac{4}{5}$ ⑤ $\frac{9}{10}$

6) 어느 과일 가게에서는 사과를 3개씩 묶어 사과의 총 무게가 $850g$이상이면 1등급, $850g$미만이면 2등급으로 분류하여 판매한다. 무게 $300g$인 사과 4개와 $250g$인 사과 2개 중에서 임의로 3개씩 선택하여 2개의 묶음으로 만들었다. 하나의 묶음이 1등급으로 분류되었을 때, 다른 묶음도 1등급일 확률은?

① $\frac{2}{5}$ ② $\frac{1}{2}$ ③ $\frac{3}{5}$

④ $\frac{3}{4}$ ⑤ $\frac{4}{5}$

조건부확률

7) 주머니 A에는 흰 공 1개, 검은 공 2개가 들어 있고, 주머니 B에는 흰 공 3개, 검은 공 3개가 들어있다. 주머니 A에서 임의로 1개의 공을 꺼내어 주머니 B에 넣은 후 주머니 B에서 임의로 3개의 공을 동시에 꺼낼 때, 주머니 B에서 꺼낸 3개의 공 중에서 적어도 한 개가 흰 공일 확률은?

① $\frac{6}{7}$ ② $\frac{92}{105}$ ③ $\frac{94}{105}$

④ $\frac{32}{35}$ ⑤ $\frac{14}{15}$

---

1) ②
2) ⑤
3) 6
4) $\frac{4}{9}$
5) ③
6) ④
7) ④

지혜숲 수학전문학원

독립/종속 그리고 확률

1. 독립과 종속

독립: 두 사건 A, B에 대하여 두 사건이 일어나는 것이 서로 영향을 주지 않을 때, 사건 A, B는 서로 독립이라고 한다. 두 사건이 독립일 때 다음이 성립한다.

- $P(A \cap B) = P(A)P(B)$
- $P(A|B) = P(A|B^C) = P(A)$
- $P(B|A) = P(B|A^C) = P(B)$
- 사건 A, B가 독립이면 $A, B^C / A^C, B / A^C, B^C$ 모두 서로 독립

2. 독립 vs 배반

	독립	배반
정의	$P(B\|A) = P(B\|A^C) = P(B)$	$A \cap B = \varnothing$
의미	사건 A, B가 일어날 확률은 서로 영향을 주지 않는다.	두 사건 A, B는 동시에 일어나지 않는다.
덧셈정리	$P(A \cup B) = P(A) + P(B) - P(A \cap B)$	$P(A \cup B) = P(A) + P(B)$
곱셈정리	$P(A \cap B) = P(A)P(B)$	$P(A \cap B) = 0$
상호관계	$P(A) \neq 0,\ P(B) \neq 0$인 두 사건 A, B에 대하여 • A, B가 배반사건이면 A, B는 서로 독립이 아니다. • A, B가 서로 독립이면 A, B는 배반사건이 아니다.	

예1 두 사건 A, B는 서로 독립이고 $P(A \cup B) = \frac{1}{2}$, $P(A|B) = \frac{3}{8}$일 때, $P(A \cap B^C)$의 값을 구하시오. (단, B^C는 B의 여사건이다.)

독립/종속 그리고 확률

3. 독립시행의 의미와 확률

1) 독립시행: 각 시행의 결과가 다른 시행의 결과에 아무런 영향을 주지 않는 경우

2) 독립시행의 확률: n회의 독립시행에서 사건 A가 일어날 확률을 p라고 할 때, 사건 A가 r회 일어날 확률 $\rightarrow$ ${}_nC_rp^r(1-p)^{n-r}$

확률이 고정값이기 때문에 사건이 발생할 확률보다 사건의 발생 횟수에 초점을 둔다.

예2 S회사는 채용할 때 1단계 서류심사를 하고 서류심사를 통과한 지원자들을 대상으로 2단계 면접을 통해 최종 합격자를 선발한다. 서류심사 통과와 면접 통과는 서로 독립이며 S회사에 지원할 때 서류심사와 면접통과 확률은 각각 $\frac{1}{2}$과 $\frac{2}{3}$이다. 4명이 이 회사에 지원했을 때 2명이 합격할 확률을 구하시오.

예3 결승전에 진출한 두 팀 A, B가 한 경기에서 서로를 이길 확률은 같다. 결승전에서 5번 경기를 하여 먼저 3번을 이기는 팀이 우승한다고 할 때, 4번째 경기에서 우승팀이 결정될 확률을 구하시오. (단, 비기는 경우는 없다.)

독립/종속 그리고 확률

1) 표본공간 S는 $S=\{1, 2, 3, \cdots, 12\}$이고 모든 근원사건의 확률은 같다. 사건 A가 $A=\{4,8,12\}$일 때, 사건 A와 독립이고 $n(A\cap X)=2$인 사건 A의 개수를 구하시오. (단, $n(B)$는 집합 B의 원소의 개수를 나타낸다.)

2) 두 사건 A와 B는 서로 독립이고 $P(A\cup B)=\frac{1}{2}$, $P(A|B)=\frac{3}{8}$일 때, $P(A\cap B^C)$의 값은? (단, B^C는 B의 여사건이다.)

① $\frac{1}{10}$　② $\frac{3}{20}$　③ $\frac{1}{5}$

④ $\frac{1}{4}$　⑤ $\frac{3}{10}$

독립/종속 그리고 확률

3) 두 사건 A와 B가 서로 독립이고 $0 < P(A) < 1,\ 0 < P(B) < 1$일 때,

$\dfrac{P(B|A)}{P(B)} + \dfrac{P(B)}{P(B|A) + P(B|A^C)} + \dfrac{P(A) + P(B) \times P(A^C)}{P(A \cup B)}$의 값을 α라 하자. 이때, 10α의 값을 구하시오.

4) 표본공간 S의 두 사건 A, B가 서로 독립이고, 다음 두 조건을 만족한다.

(가) $P(A) : P(B) = 8 : 3$	(나) $P(A \cap B) = \dfrac{1}{6}$

$P(A^C) \times P(B^C) = \dfrac{n}{m}$일 때, $m + n$의 값을 구하시오. (단, m, n은 서로소인 자연수이다.)

독립/종속 그리고 확률

5) 어느 고등학교 A반 학생 35명을 대상으로 회장 선거를 시행하여 단독 후보를 가영에 대한 찬반을 조사했더니 찬성이 15표, 반대가 20표 나왔다. 이 반 학생 중에서 임의로 한 명을 뽑을 때, 그 학생이 남학생인 사건과 가영에 대하여 찬성한 사건이 서로 독립이다. 여학생이 21명일 때, 남학생 중 가영에 대하여 찬성한 학생 수를 구하시오.

6) 수직선의 원점에 점 P가 있다. 한 개의 주사위를 사용하여 다음 시행을 한다.

주사위를 한 던 던져 나온 눈의 수가 6의 약수이면 점 P를 양의 방향으로 1만큼 이동시키고, 6의 약수가 아니면 점 P를 이동시키지 않는다.

이 시행을 4번 반복할 때, 4번째 시행 후 점 P의 좌표가 2이상일 확률은?

① $\frac{13}{18}$ ② $\frac{7}{9}$ ③ $\frac{5}{6}$

④ $\frac{8}{9}$ ⑤ $\frac{17}{18}$

독립/종속 그리고 확률

7) 그림과 같이 한 변의 길이가 1인 정오각형 $ABCDE$위의 동점 P는 동전을 한 번 던질 때마다 다음 규칙에 따라 정오각형의 변 위를 움직인다.

(가) 앞면이 나오면 시계 반대 방향으로 2만큼 움직인다.
(나) 뒷면이 나오면 시계 반대 방향으로 1만큼 움직인다.

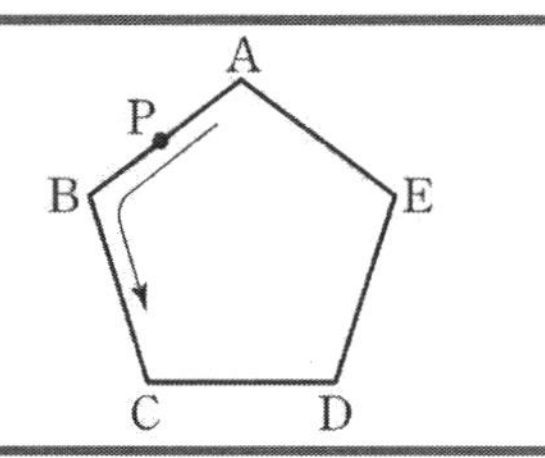

동전을 6번 던질 때, 점 A를 출발한 동점 P가 점 A로 되돌아올 확률을 구하시오.

---

1) 252
2) ⑤
3) 25
4) 5
5) 6
6) ④
7) $\frac{15}{64}$

지혜숲 수학전문학원

확률변수와 확률분포

1. 확률변수$(random\ variable)$와 확률분포

1) 확률변수의 종류와 의미

확률변수	이산확률변수(함숫값=확률) → 확률질량함수 → 확률분포표 → 이항분포
	연속확률변수(정적분=확률) → 확률밀도함수 → 그래프 → 정규분포

표본공간에서 정의된 실수의 함숫값 → 어떤 시행을 통하여 얻을 수 있는 값들의 모임

이산확률변수 X가 어떤 값 x를 가질 확률을 기호로 $P(X=x)$와 같이 나타낸다.

예를 들어 한 개의 동전을 두 번 던지는 시행에서 앞면이 나오는 횟수를 확률변수 X라 하자. 앞면을 H, 뒷면을 T라고 하면

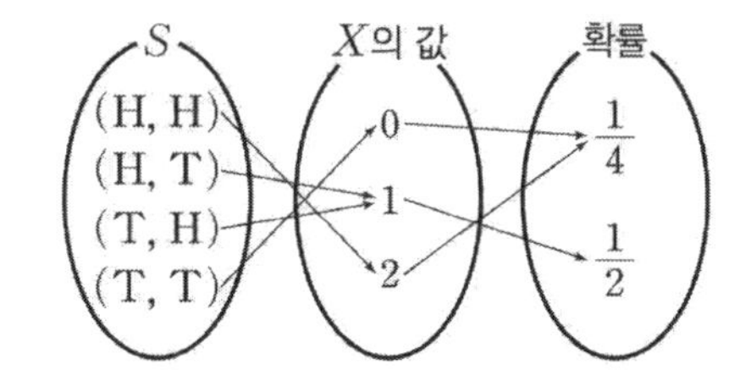

각 확률변수에 따른 확률은 $P(X=0)=\frac{1}{4}$, $P(X=1)=\frac{1}{2}$, $P(X=2)=\frac{1}{4}$이다.

2) 확률분포

이산확률변수 X가 가질 수 있는 값이 $x_1, x_2, x_3, \cdots, x_n$이고, X가 이들 값을 가질 확률이 각각 $p_1, p_2, p_3, \cdots p_n$일 때, 이들 사이의 대응 관계를 이산확률변수 X의 **확률분포**라 한다.

확률분포는 표 또는 그래프로 나타낼 수 있다.

예를 들어 한 개의 동전을 두 번 던지는 시행에서 앞면이 나오는 횟수를 확률변수 X의 확률분포와 그래프는 각각 다음과 같다.

X	0	1	2	합계
$P(X=x)$	$\frac{1}{4}$	$\frac{1}{2}$	$\frac{1}{4}$	1

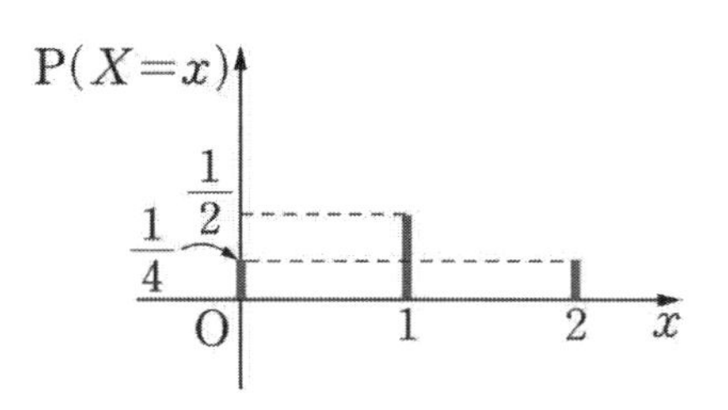

확률변수와 확률분포

2. 확률질량함수와 성질

1) 확률질량함수

이산확률변수 X의 확률분포를 나타내는 함수 $P(X=x_i)=p_i \ (i=1,2,3,\cdots,n)$

2) 확률질량함수의 성질

① $0 \leq p_i \leq 1$

② $p_1+p_2+\cdots+p_n=1$

③ $P(x_i \leq X \leq x_j)=p_i+p_{i+1}+\cdots+p_j \ (j=1,2,3,\cdots,n$이고 $i \leq j)$

※ 확률질량함수의 재해석

이산확률변수 X에 대한 확률분포표가 다음과 같을 때 방정식 또는 부등식으로 표현된 식을 재해석 할 수 있어야 한다.

X	0	1	2	합계
$P(X=x)$	$\frac{1}{4}$	$\frac{1}{2}$	$\frac{1}{4}$	1

① $P(0 \leq X \leq 1)=P(X=0)+P(X=1)=\dfrac{3}{4}$

② $P(X^2+X=0)=P(X(X+1)=0)=P(X=0)+P(X=-1)=\dfrac{1}{4}$

③ $P(X>1)=P(X=2)=\dfrac{1}{4}$

예1 흰 공 4개, 검은 공 3개가 들어 있는 주머니에서 임의로 3개의 공을 동시에 꺼낼 때, 나오는 흰 공의 개수를 확률변수 X라 할 때, X의 확률질량함수를 구하고 X의 확률분포를 표로 나타내시오.

X	0	1	2	3	합계
$P(X=x)$	$\frac{1}{35}$	$\frac{12}{35}$	$\frac{18}{35}$	$\frac{4}{35}$	1

확률변수와 확률분포

예2 확률변수 X의 확률질량함수가 $P(X=x)=\frac{k+1}{3}x\ (x=1,2,3,4,5,6)$일 때, 상수 k의 값을 구하시오.

예3 주머니 속에 1이 적혀 있는 공이 4개, 2가 적혀 있는 공이 3개, 3이 적혀 있는 공이 2개, 4가 적혀 있는 공이 1개 들어 있다. 이 주머니에서 임의로 1개의 공을 꺼낼 때, 꺼낸 공에 적혀 있는 수를 확률변수 X라 하자. $P(X=a)=\frac{1}{5}$일 때, 상수 a의 값을 구하시오.

예4 확률변수 X가 가질 수 있는 값이 $-5, 0, 5$이고 그 확률이 각각
$P(X=-5)=k^2$, $P(X=0)=7k^2-k-1$, $P(X=5)=3k-1$일 때, $P(|X|=5)$를 구하시오.

확률변수와 확률분포

3. 이산확률변수 X의 기댓값(평균)

이산확률변수 X의 확률분포표가 다음과 같을 때 X의 기댓값 또는 평균을 다음과 같이 나타낸다.

X	x_1	x_2	$\cdots$	x_n	합계
$P(X=x_i)$	p_1	p_2	$\cdots$	p_n	1

$m=E(X)=x_1p_1+x_2p_2+\cdots+x_np_n=\sum_{i=1}^{n}x_ip_i$ → (변수×확률)의 총합

4. 이산확률변수 X의 분산과 표준편차

이산확률변수 X의 확률질량함수가 $P(X=x_i)=p_i(i=1,2,3,\cdots,n)$이고 X의 기댓값 $E(X)$를 m이라 할 때

1) 분산: 변량들이 퍼져있는 정도. (편차)^{2}의 평균. 기호로 $V(X)$와 같이 나타낸다.

$$V(X)=\sum_{i=1}^{n}\{x_i-E(X)\}^2p_i=\sum_{i=1}^{n}\{x_i^2p_i-2x_ip_iE(X)+(E(X))^2p_i\}$$
$$=E(X^2)-2(E(X))^2+(E(X))^2=E(X^2)-(E(X))^2$$

2) 표준편차: 분산 $V(X)$의 양의 제곱근 $\sqrt{V(X)}$를 확률변수 X의 표준편차라 하고 기호로 $\sigma(X)$와 같이 나타낸다. $\sigma(X)=\sqrt{V(X)}$

※ 분산, 표준편차의 해석

① 분산이 크면 수치들이 들쭉날쭉 불안정하다는 의미이다.

② 분산이 작으면 수치들이 고만고만 비슷하다는 의미이다.

③ 분산은 수치가 너무 커서 제곱근으로 적당히 줄인 값이 표준편차이다.

확률변수와 확률분포

5. 이산확률변수 $aX+b$의 평균, 분산, 표준편차

이산확률변수 X와 두 상수 $a(a \neq 0)$, b에 대하여

1) 평균: $E(aX+b) = aE(X)+b$

2) 분산: $V(aX+b) = a^2V(X)$

3) 표준편차: $\sigma(aX+b) = |a|\sigma(X)$

증명

$$E(aX+b) = \sum_{i=1}^{n}(ax_i+b)p_i = a\sum_{i=1}^{n}x_ip_i + b\sum_{i=1}^{n}p_i = aE(X)+b$$

$$\begin{aligned} V(aX+b) &= \sum_{i=1}^{n}\{ax_i+b-(am+b)\}^2p_i = \sum_{i=1}^{n}\{a(x_i-m)\}^2p_i = a^2\sum_{i=1}^{n}(x_i-m)^2p_i \\ &= a^2V(X) \end{aligned}$$

예1 한 개의 동전을 두 번 던지는 시행에서 앞면이 나올 때마다 100원, 뒷면이 나올 때마다 20원씩 상금을 받는다. 이 시행에서 받을 수 있는 상금을 확률변수 X라 할 때, X의 기댓값을 구하시오.

확률변수와 확률분포

예2 확률변수 X의 확률분포가 다음과 같을 때, X의 평균이 $\frac{1}{2}$일 때, X분산을 구하시오. (단, a는 상수)

X	$-k$	0	k	합계
$P(X=x)$	$\frac{1}{4}$	$\frac{1}{4}$	p	1

예3 평균이 0, 분산이 1인 확률변수 X에 대하여 확률변수 $Y=aX+b$의 평균이 5, 분산이 100일 때, $a-b$의 값을 구하시오. (단, a,b는 상수이고, $a>0$)

예4 2개의 합격품이 포함된 4개의 제품 중에서 임의로 2개의 제품을 동시에 꺼낼 때, 나오는 합격품의 개수를 확률변수 X라 하자. 이때 $E(3X+2)$, $V(-3X+2)$를 구하시오.

확률변수와 확률분포

1) 확률변수 X의 확률질량함수가 $P(X=x)=p_x\,(x=1,2,3,4)$이고

$p_2-p_1=p_3-p_2=p_4-p_3=\dfrac{1}{8}$일 때, $P(X^2-6X+8<0)$을 구하시오.

2) 서로 다른 두 개의 주사위를 동시에 던져서 나오는 두 눈의 수의 차를 확률변수 X라 할 때, $P(X^2-5X+6 \le 0)$의 값을 구하시오.

지혜숲 수학전문학원

확률변수와 확률분포

3) 확률변수 X에 대하여 $E(X)=2$, $V(X)=7$일 때, $E\left((X-3)^2\right)$을 구하시오.

4) 확률변수 X의 확률분포가 다음 표와 같을 때, X의 분산이 최대가 되도록 하는 상수 a의 값을 구하시오. (단, b는 상수)

X	1	2	3	합계
$P(X=x)$	b	$\frac{1}{4}$	a	1

확률변수와 확률분포

5) 이산확률변수 X가 갖는 값은 $1,2,3,4,5$이고 이산확률변수 Y가 갖는 값은 $1,3,5,7,9$이다. 상수 a에 대하여 $P(Y=2i-1)=a\times P(X=i)+a(i=1,2,3,4,5)$이고 $E(X)=\frac{10}{3}$일 때, $E(9Y+5)$의 값은?

① 45 ② 47 ③ 49
④ 51 ⑤ 53

지혜숲 수학전문학원

확률변수와 확률분포

6) 자유투 성공률이 각각 $\frac{3}{5}, \frac{3}{4}$인 두 사람이 자유투를 한 번씩 던지려고 한다. 자유투를 성공하는 사람의 수를 확률변수 X라고 할 때, $E(X)$는?

① $\frac{5}{4}$ ② $\frac{27}{20}$ ③ $\frac{3}{2}$

④ $\frac{8}{5}$ ⑤ $\frac{33}{20}$

---

1) $\frac{5}{16}$
2) $\frac{7}{18}$
3) 8
4) $\frac{3}{8}$
5) ④
6) ②

이항분포

1. 정의

1회의 시행에서 어떤 사건 A가 일어날 확률이 p일 때, n회의 독립시행에서 사건 A가 일어나는 횟수를 확률변수 X라 하자. 이때 X가 가질 수 있는 값은 $0, 1, 2, \cdots, n$이고, X의 **확률질량함수는** 독립시행의 확률 $P(X=x)={}_nC_r p^r q^{n-r}$이고 표로 나타내면 다음과 같다.

X	0	1	2	$\cdots$	n	합계
$P(X=x)$	${}_nC_0 q^n$	${}_nC_1 p q^{n-1}$	${}_nC_2 p^2 q^{n-2}$	$\cdots$	${}_nC_n p^n$	1

이와 같은 확률변수 X의 확률분포를 **이항분포**라 하고, 기호로 $B(n,p)$와 같이 나타낸다.

- 이항분포는 독립시행의 확률에 관한 확률분포이다.
- 독립시행에서 주목하는 사건이 발생하는 횟수가 이항분포의 확률변수이다. (횟수, 개수)
- 확률질량함수 $P(X=k)$에 대하여 사건이 k번 발생할 확률로 인지하고 계산한다.

예1 확률변수 X는 이항분포 $B\left(n, \frac{1}{2}\right)$을 따른다. $P(X=2)=10P(X=1)$이 성립할 때, n의 값을 구하시오.

예2 확률변수 X의 확률질량함수가 $P(X=x)={}_{10}C_x \frac{4^x}{5^{10}}$ $(x=0, 1, 2, \cdots, 10)$일 때, X는 이항분포 $B(n,p)$를 따른다고 한다. np의 값을 구하시오.

이항분포

2. 이항분포의 평균, 분산, 표준편차

확률변수 X가 이항분포 $B(n,p)$를 따를 때, (단, $q=1-p$)

평균: $E(X)=np$ 분산: $V(X)=npq$ 표준편차: $\sigma(X)=\sqrt{npq}$

예1 확률변수 X가 이항분포 $B\left(n, \frac{1}{3}\right)$을 따르고 $E(2X+5)=13$일 때, n의 값을 구하시오.

예2 이항분포 $B\left(n, \frac{1}{3}\right)$을 따르는 확률변수 X에 대하여 $V(2X-1)=80$일 때, $E(2X-1)$의 값을 구하시오.

이항분포

1) 확률변수 X는 이항분포 $B(3,p)$를 따르고 확률변수 Y는 이항분포 $B(4,2p)$를 따른다고 한다. 이때, $10P(X=3)=P(Y \geq 3)$을 만족시키는 양수 p의 값은 $\frac{n}{m}$이다. $m+n$의 값을 구하시오. (단, m,n은 서로소인 자연수이다.)

2) 확률변수 X가 이항분포 $B(n,p)$를 따른다. 확률변수 $2X-5$의 평균과 표준편차가 각각 $175, 12$일 때, n의 값은?

① 130 ② 135 ③ 140

④ 145 ⑤ 150

이항분포

3) 확률변수 X가 이항분포 $B(9,p)$를 따르고 $\{E(X)\}^2 = V(X)$일 때, p의 값은?
(단, $0 < p < 1$)

① $\frac{1}{13}$ ② $\frac{1}{12}$ ③ $\frac{1}{11}$

④ $\frac{1}{10}$ ⑤ $\frac{1}{9}$

4) 확률변수 X가 이항분포 $B(25,p)$를 따르고 $P(X=2)=48P(X=1)$이다. 확률변수 X에 대하여 X^2의 평균을 구하시오. (단, $p \neq 0$)

지혜숲 수학전문학원

이항분포

5) 한 개의 동전을 3번 던져서 앞면이 나오는 횟수를 확률변수 X라 하자. $(X-a)^2$의 평균을 $f(a)$라 할 때, $f(a)$의 최솟값을 구하시오.

6) 두 사람 A와 B가 각각 주사위를 한 개씩 동시에 던지는 시행을 한다. 이 시행에서 나온 두 주사위의 눈의 수의 차가 3보다 작으면 A가 1점을 얻고, 그렇지 않으면 B가 1점을 얻는다. 이와 같은 시행을 15회 반복할 때, A가 얻는 점수의 합의 기댓값과 B가 얻는 점수의 합의 기댓값의 차는?

① 1 ② 3 ③ 5
④ 7 ⑤ 9

이항분포

7) 한 번의 시행에서 일어날 확률이 $\frac{1}{4}$ 인 사건 A가 있다. 80번의 독립시행에서 사건 A가 일어나는 횟수를 확률변수 X라 할 때, X^2의 평균 $E(X^2)$을 구하시오.

8) 동전 2개를 동시에 던지는 시행을 10회 반복할 때, 동전 2개 모두 앞면이 나오는 횟수를 확률변수 X라고 하자. 확률변수 $4X+1$의 분산 $V(4X+1)$의 값을 구하시오.

이항분포

9) 좌표평면의 원점에 점P가 있다. 한 개의 주사위를 사용하여 다음 시행을 한다.

주사위를 한 번 던져 나온 눈의 수가 2이하이면 점 P를 x축의 양의 방향으로 3만큼, 3이상이면 점 P를 y축의 양의 방향으로 1만큼 이동시킨다.

이 시행을 15번 반복하여 이동된 점 P와 직선 $3x+4y=0$사이의 거리를 확률변수 X라 하자. $E(X)$의 값은?

① 13　② 15　③ 17
④ 19　⑤ 21

10) 어느 창고에 부품 S가 3개, 부품 T가 2개 있는 상태에서 부품 2개를 추가로 들여왔다. 추가된 부품은 S 또는 T이고, 추가된 부품 중 S의 개수는 이항분포 $B\left(2, \frac{1}{2}\right)$을 따른다. 이 7개의 부품 중 임의로 1개를 선택한 것이 T일 때, 추가된 부품이 모두 S였을 확률은?

① $\frac{1}{6}$　② $\frac{1}{4}$　③ $\frac{1}{3}$
④ $\frac{1}{2}$　⑤ $\frac{3}{4}$

이항분포

11) 한 개의 주사위를 세 번 던져서 나오는 눈의 수를 차례로 a, b, c라 하고 $a \times b \times c$의 값을 구하는 시행을 400번 반복할 때, $a \times b \times c$의 값이 4로 나누어떨어지는 횟수를 확률변수 X라 하자. $E(2X+3)$의 값을 구하시오.

---

1) 35
2) ⑤
3) ④
4) 404
5) $\frac{3}{4}$
6) ③
7) 415
8) 30
9) ③
10) ①
11) 503

지혜숲 수학전문학원

연속확률변수와 정규분포

1. 연속확률변수와 확률밀도함수

확률변수	이산확률변수(함숫값=확률) → 확률질량함수 → 확률분포표 → 이항분포
	연속확률변수(정적분=확률) → 확률밀도함수 → 그래프 → 정규분포

1) 연속확률변수

확률변수 X가 어떤 범위에 속하는 모든 실숫값을 가질 때, X를 **연속확률변수**라 한다.

※ 이산확률변수와 연속확률변수의 구분

- 이산확률변수: 확률변수가 불연속적(개수, 횟수 등 셀 수 있는 값)
- 연속확률변수: 확률변수가 연속적(길이, 무게, 시간 등 어떤 범위에 연속적인 값)

2) 확률밀도함수

$\alpha \le X \le \beta$에서 모든 실숫값을 가질 수 있는 연속확률변수 X에 대하여 $\alpha \le x \le \beta$에서 정의된 함수 $f(x)$가 다음의 세 성질을 만족할 때, 함수 $f(x)$를 확률변수 X의 **확률밀도함수**라 한다.

① $f(x) \ge 0$

② 구간 $[\alpha, \beta]$에서 둘러싸인 넓이가 1이다.

③ $P(a \le X \le b)$는 함수 $y = f(x)$의 그래프와 x축 및 두 직선 $x = a$, $x = b$로 둘러싸인 도형의 넓이와 같다. (단, $\alpha \le a \le b \le \beta$)

※ 확률질량함수와 확률밀도함수의 차이

확률변수 X가 확률질량함수일 때

$P(a \le X \le b) \ne P(a < X < b) \ne P(a \le X < b) \ne P(a < X \le b)$

확률변수 X가 확률밀도함수일 때

$P(a \le X \le b) = P(a < X < b) = P(a \le X < b) = P(a < X \le b)$

연속확률변수와 정규분포

예1 다음 보기 중 연속확률변수인 것만을 있는 대로 고르시오.

보기

㉠ 어느 학교 학생들의 키
㉡ 어느 지역에 한 달 동안 내리는 강수량
㉢ 5개의 주사위를 던질 때, 홀수의 눈이 나오는 주사위의 개수
㉣ 어느 공장에서 생산된 배터리의 수명

예2 연속확률변수 X의 확률밀도함수가 $f(x)=ax+a(0 \leq x \leq 1)$로 주어질 때, 상수 a의 값을 구하시오.

예3 $0 \leq x \leq 4$에서 정의된 연속확률변수 X의 확률밀도함수 $y=f(x)$의 그래프가 그림과 같을 때, $P(1 \leq X \leq 3)$을 구하시오.

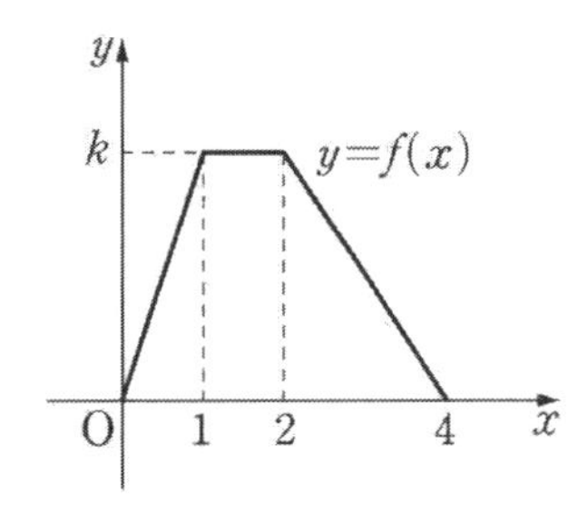

연속확률변수와 정규분포

2. 정규분포

실수 전체의 집합에서 정의된 연속확률변수 X의 확률밀도함수 $f(x)$가

$f(x)=\dfrac{1}{\sqrt{2\pi}\sigma}e^{-\frac{(x-m)^2}{2\sigma^2}}$ (x는 모든 실수)일 때, X의 확률분포를 정규분포라 하고

확률밀도함수 $f(x)$의 그래프를 정규분포 곡선이라 한다.

$X\sim N(m,\sigma^2)$ → 확률변수 X는 평균이 m이고 분산이 σ^2인 정규분포를 따른다.

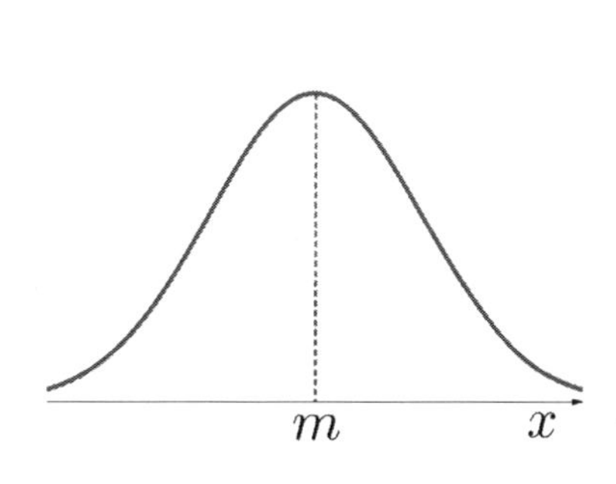

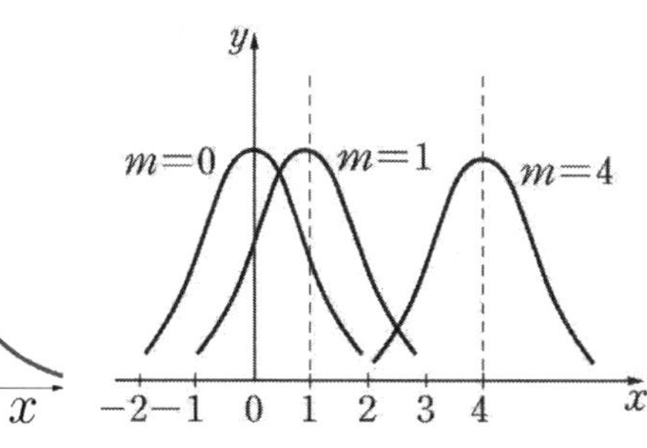

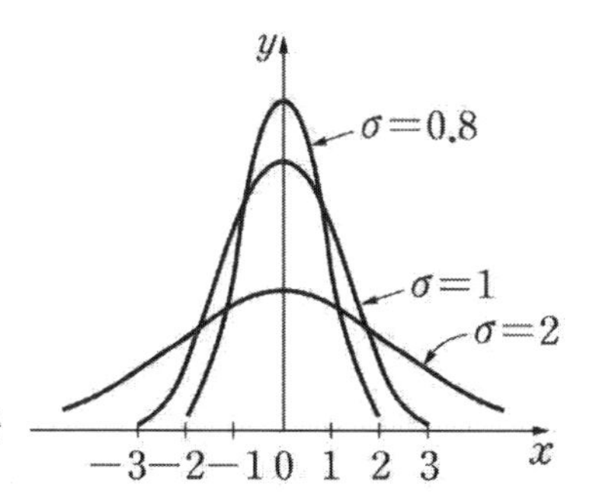

① $x=m$에 대하여 대칭이다.

② $x=m$에서 최댓값 $\dfrac{1}{\sqrt{2\pi}\sigma}$을 갖는다.

③ 곡선과 x축 사이의 넓이는 1이다.

④ 평균이 일정할 때, σ의 값이 클수록 곡선의 높이는 낮아지고 옆으로 퍼진다.

⑤ 표준편차가 일정할 때, m의 값이 변하면 대칭축의 위치가 좌우로 바뀐다.

⑥ 편차가 작다 = 고르다 = 평균과의 거리가 가깝다.

예 세 고등학교 A, B, C의 학생들의 수학 성적이 각각 정규분포를 따르고 그림과 같다. 세 고등학교의 재학생 수가 같을 때, 다음 중 옳은 것만을 있는 대로 고르시오.

ㄱ 성적이 우수한 학생들이 B고등학교보다 A고등학교에 더 많이 있다.

ㄴ B고등학교 학생들이 평균적으로 A고등학교 학생들보다 성적이 더 우수하다.

ㄷ C고등학교 학생들보다 B고등학교 학생들의 성적이 고르다.

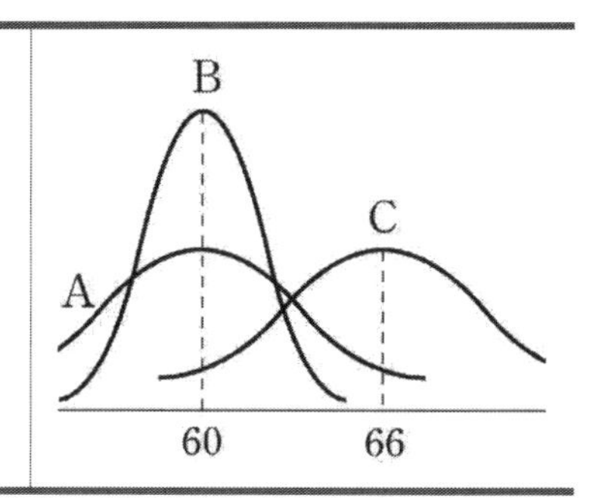

연속확률변수와 정규분포

3. 표준정규분포

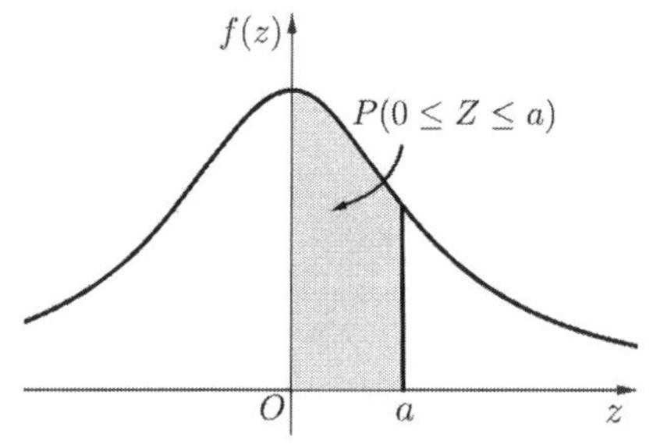

확률을 쉽게 구하기 위한 기준을 만드는 작업

① 여러 가지 자료들의 객관적인 비교

② 확률을 구하는 수단

③ 확률이 미리 계산된 표준정규분포표를 이용하기 위해

- 평균이 0이고 분산이 1인 정규분포를 의미하고 확률변수를 Z로 설정 $Z \sim N(0,1)$
- 확률을 구할 때 기준이 되는 지점은 평균

4. 표준화

임의의 정규분포를 표준정규분포로 변환시키는 작업

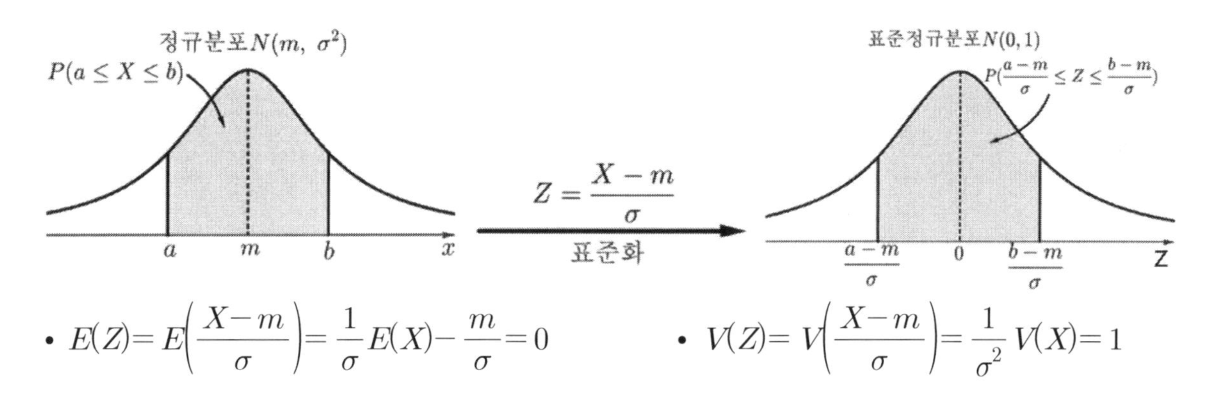

- $E(Z) = E\left(\dfrac{X-m}{\sigma}\right) = \dfrac{1}{\sigma}E(X) - \dfrac{m}{\sigma} = 0$
- $V(Z) = V\left(\dfrac{X-m}{\sigma}\right) = \dfrac{1}{\sigma^2}V(X) = 1$

표준정규분포 $N(0,1)$을 따르는 확률변수 Z의 확률밀도함수 $f(z)$의 그래프는 직선 $z=0$에 대하여 대칭이므로 다음과 같이 확률을 구할 수 있다. (단, $0 < a < b$)

① $P(Z \ge 0) = P(Z \le 0) = 0.5$

② $P(0 \le Z \le a) = P(-a \le Z \le 0)$

③ $P(Z \ge a) = P(Z \ge 0) - P(0 \le Z \le a) = 0.5 - P(0 \le Z \le a)$

④ $P(Z \le a) = P(Z \le 0) + P(0 \le Z \le a) = 0.5 + P(0 \le Z \le a)$

⑤ $P(a \le Z \le b) = P(0 \le Z \le b) - P(0 \le Z \le a)$

⑥ $P(-a \le Z \le b) = P(-a \le Z \le 0) + P(0 \le Z \le b)$

연속확률변수와 정규분포

※ 표준화 계산 테크닉

확률변수 X가 정규분포 $N(30,4^2)$을 따를 때, $P(26 \le X \le 38)$을 표준화하면?

5. 이항분포와 정규분포의 관계

확률변수 X가 이항분포 $B(n,p)$를 따를 때, n이 충분히 크면 X는 근사적으로 정규분포 $N(np, npq)$를 따른다. (단, $q=1-p$)

예 ${}_{100}C_{22}\left(\frac{1}{5}\right)^{22}\left(\frac{4}{5}\right)^{78}+{}_{100}C_{23}\left(\frac{1}{5}\right)^{23}\left(\frac{4}{5}\right)^{77}+\cdots+{}_{100}C_{100}\left(\frac{1}{5}\right)^{100}$의 값을 구하시오.

(단, $P(0 \le Z \le 0.5)=0.1915$)

연속확률변수와 정규분포

예1 정규분포 $N(m, \sigma^2)$을 따르는 확률변수 X에 대하여 $P(X \le 12) = P(X \ge 18)$일 때, m의 값을 구하시오.

예2 확률변수 X가 정규분포 $N(40, 10^2)$을 따를 때, 표준정규분포표를 이용하여 다음 확률을 구하시오.

1) $P(25 \le X \le 40)$ 2) $P(X \ge 60)$

z	$P(0 \le Z \le z)$
1.5	0.4332
2.0	0.4772
2.5	0.4938

예3 확률변수 X가 정규분포 $N(50, 5^2)$을 따를 때, 표준정규분포표를 이용하여 $P(X \ge k) = 0.0013$을 만족시키는 상수 k의 값을 구하시오.

z	$P(0 \le Z \le z)$
1.0	0.3413
2.0	0.4772
3.0	0.4987

연속확률변수와 정규분포

예4 대한민국 여자 1000명의 키는 평균이 $164cm$, 표준편차가 $5cm$인 정규분포를 따른다고 한다. 표준정규분포표를 이용하여 키가 $170cm$이상인 학생은 전체의 몇 $\%$인지 구하시오.

z	$P(0 \leq Z \leq z)$
0.8	0.2881
1.0	0.3413
1.2	0.3849

예5 320명을 뽑는 어느 대학에 입학시험을 2000명이 응시하였다. 응시자의 평균 점수는 평균이 450점, 표준편차가 75점인 정규분포를 따른다고 할 때, 합격자의 최저점수를 구하시오. (단, $P(0 \leq Z \leq 1) = 0.34$)

예6 한 개의 주사위를 720회 던질 때, 6의 눈이 나오는 횟수를 확률변수 X라 할 때, 6의 눈이 100회 이상 130회 이하로 나올 확률을 구하시오.
(단, $P(0 \leq Z \leq 1) = 0.3413$, $P(0 \leq Z \leq 2) = 0.4772$)

연속확률변수와 정규분포

1) 평균이 1인 확률변수 X가 정규분포를 따를 때, $P\left(a \leq X \leq a+\frac{1}{2}\right)$의 값이 최대가 되도록 하는 상수 a의 값을 구하시오.

2) 평균이 100인 정규분포를 따르는 확률변수 X에 대하여 부등식
$P(90 < X < 95) < P(90+a < X < 95+a)$를 만족시키는 자연수 a의 개수를 구하시오.

연속확률변수와 정규분포

3) 확률변수 X가 정규분포 $N(m, \sigma^2)$을 따르고 다음 조건을 만족시킨다.

(가) $P(X \geq 64) = P(X \leq 56)$	(나) $E(X^2) = 3616$

$P(X \leq 68)$의 값을 오른쪽 표를 이용하여 구하시오.

z	$P(0 \leq Z \leq z)$
$m+1.5\sigma$	0.4332
$m+2\sigma$	0.4772
$m+2.5\sigma$	0.4938

4) 어느 재래시장을 이용하는 고객의 집에서 시장까지의 거리는 평균이 $1740m$, 표준편차가 $500m$인 정규분포를 따른다고 한다. 집에서 시장까지의 거리가 $2000m$이상인 고객 중에서 15%, $2000m$ 미만인 고객 중에서 5%는 자가용을 이용하여 시장에 온다고 한다. 자가용을 이용하여 시장에 온 고객 중에서 임의로 1명을 선택할 때, 이 고객의 집에서 시장까지의 거리가 $2000m$미만일 확률은? (단, Z가 표준정규분포표를 따르는 확률변수일 때, $P(0 \leq Z \leq 0.52) = 0.2$로 계산한다.)

① $\frac{3}{8}$ ② $\frac{7}{16}$ ③ $\frac{1}{2}$

④ $\frac{9}{16}$ ⑤ $\frac{5}{8}$

연속확률변수와 정규분포

5) 확률변수 X는 평균이 m, 표준편차가 5인 정규분포를 따르고 확률변수 X의 확률밀도함수 $f(x)$가 다음 조건을 만족시킨다.

(가) $f(10) > f(20)$	(나) $f(4) < f(22)$

z	$P(0 \leq Z \leq z)$
0.6	0.226
0.8	0.288
1.0	0.341
1.2	0.385

m이 자연수일 때, $P(17 \leq X \leq 18)$의 값을 표준정규분포표를 이용하여 구한 것은?

① 0.044 ② 0.053 ③ 0.062
④ 0.078 ⑤ 0.097

6) 1회 시행에서 10점을 얻을 확률이 $\frac{1}{5}$이고, 2점을 잃을 확률이 $\frac{4}{5}$인 게임이 있다. 처음 0점에서 시작하여 이 게임을 1600번 독립적으로 시행한 후의 점수가 832점 이상일 확률을 구하시오. (단, $P(0 \leq Z \leq 1) = 0.3413$)

---

1) $\frac{3}{4}$
2) 14
3) 0.9772
4) ②
5) ③
6) 0.1587

모집단과 표본

1. 용어정리

1) 전수조사: 조사 대상이 되는 집단 전체(모집단)를 조사하는 것

2) 표본조사: 집단 전체에서 일부분만을 뽑아서 조사하는 것

3) 표본평균: $\overline{X}=\dfrac{X_1+X_2+\cdots+X_n}{n}$ (표본의 크기에 따라 달라지므로 확률변수이다.)

4) 표본분산: $S^2=\dfrac{\left(X_1-\overline{X}\right)^2+\left(X_2-\overline{X}\right)^2+\cdots+\left(X_n-\overline{X}\right)^2}{n-1}$

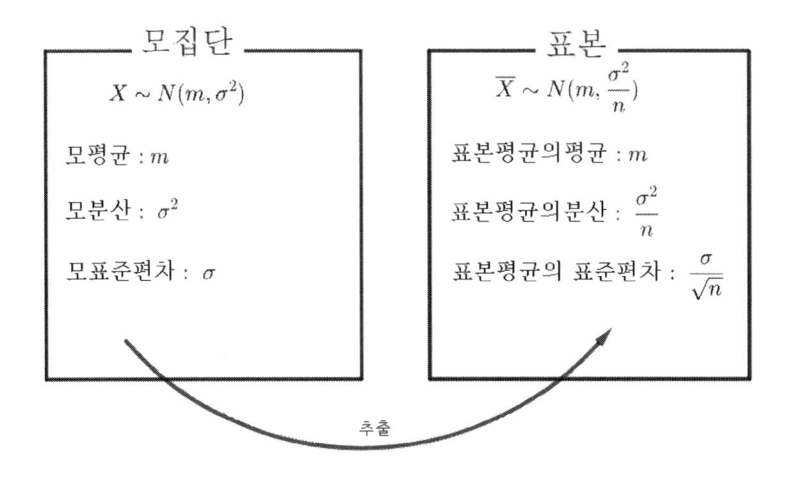

※ 추가정보

1) 표본분산을 $n-1$로 나누는 이유는 모분산과의 오차를 줄이기 위해서이다.

2) 모집단의 분포가 정규분포가 아닐 때도 표본의 크기가 충분히 크면 표본평균 $\overline{X}$는 정규분포를 따른다.

3) $\overline{X}=a$에 관한 확률은 확률의 곱셈정리와 덧셈정리를 이용하여 계산한다. 예를 들어 모집단의 확률변수 X의 값이 $1, 2, 3$이고 크기가 2인 표본을 복원추출할 때

$\dfrac{X_1+X_2}{2}=2 \rightarrow X_1+X_2=4$를 만족하는 순서쌍을 찾은 후 확률로 계산하면

$P(\overline{X}=2)=P(X=1)P(X=3)+P(X=3)P(X=1)+P(X=2)P(X=2)$

4) 계산 테크닉

모집단과 표본

예1 주어진 확률변수 X에 대하여 크기가 2인 표본을 임의추출할 때 표본평균 $\overline{X}$의 평균과 분산을 구하시오.

X	0	2	합계
$P(X=x)$	$\frac{2}{3}$	$\frac{1}{3}$	1

예2 정규분포 $N(20, 5^2)$을 따르는 모집단에서 크기가 16인 표본을 임의추출하여 구한 표본평균을 $\overline{X}$라 할 때, $E(\overline{X})+\sigma(\overline{X})$의 값을 구하시오.

예3 어느 항공편 탑승객들의 1인당 수하물 무게는 평균이 $15kg$, 표준편차가 $4kg$인 정규분포를 따른다고 한다. 이 항공편 탑승객들을 대상으로 16명을 임의추출하여 조사한 1인당 수하물 무게의 평균이 $17kg$이상일 확률을 표준정규분포표를 이용하여 구하시오.

z	$P(0 \le Z \le z)$
0.5	0.1915
1.0	0.3413
1.5	0.4332
2.0	0.4772

지혜숲 수학전문학원

모집단과 표본

예4 정규분포 $N(70,20^2)$을 따르는 모집단에서 크기가 100인 표본을 임의추출할 때, 표본평균 $\overline{X}$가 73이상일 확률을 표준정규분포표를 이용하여 구하시오.

z	$P(0 \le Z \le z)$
1.0	0.3413
1.5	0.4332
2.0	0.4772

예5 비행기 탑승객의 짐 무게는 평균이 $18kg$이고 표준편차가 $4kg$인 정규분포를 따른다고 한다. 이 비행기 탑승객 중에서 n명을 임의추출할 때, 표본평균 $\overline{X}$가 $17kg$이상 $19kg$이하일 확률이 0.8664이다. 표준정규분포표를 이용하여 n의 값을 구하시오.

z	$P(0 \le Z \le z)$
1.0	0.3413
1.5	0.4332
2.0	0.4772

예6 어느 회사에서 일하는 플랫폼 근로자의 일주일 근무시간은 평균이 m시간, 표준편차가 5시간인 정규분포를 따른다고 한다. 이 회사에서 일하는 플랫폼 근로자 중에서 임의추출한 36명의 일주일 근무 시간의 표본평균이 38시간 이상일 확률을 표준정규분포표를 이용하여 구한값이 0.9332일 때, m의 값을 구하시오.

z	$P(0 \le Z \le z)$
1.0	0.3413
1.5	0.4332
2.0	0.4772

모집단과 표본

1) $2, 4, 6$의 숫자가 각각 하나씩 적혀 있는 3장의 카드가 있다. 이를 모집단으로 하여 크기가 2인 표본을 복원추출할 때, $P(\overline{X}=3)$의 값은?

① $\frac{1}{9}$ ② $\frac{1}{6}$ ③ $\frac{2}{9}$

④ $\frac{1}{3}$ ⑤ $\frac{1}{2}$

2) $3, 6, 9$가 쓰인 3개의 공을 모집단으로 하자. 이 모집단에서 크기 3인 표본을 복원추출하여 그 공에 쓰인 수의 표본평균을 $\overline{X}$라 할 때, 확률 $P(\overline{X} \leq 4)$는?

① $\frac{1}{27}$ ② $\frac{2}{27}$ ③ $\frac{1}{9}$

④ $\frac{4}{27}$ ⑤ $\frac{5}{27}$

모집단과 표본

3) 정규분포 $N(0,3^2)$을 따르는 모집단에서 크기가 4인 표본을 임의추출하여 구한 표본평균을 $\overline{X}$, 정규분포 $N(8,6^2)$을 따르는 모집단에서 크기가 25인 표본을 임의추출하여 구한 표본평균을 $\overline{Y}$라 하자. $P(\overline{X} \geq 3) = P(\overline{Y} \leq a)$를 만족시키는 상수 a의 값은?

① $\frac{22}{5}$ ② $\frac{24}{5}$ ③ $\frac{26}{5}$

④ $\frac{28}{5}$ ⑤ 6

4) 어느 제과점에서 판매되는 도넛의 무게는 평균이 70, 표준편차가 2.5인 정규분포를 따른다고 한다. 이 제과점에서 판매되는 도넛 중 16개를 임의추출하여 조사한 무게의 표본평균을 $\overline{X}$라 하자. $P(|\overline{X} - 70| \leq a) = 0.9544$를 만족시키는 상수 a의 값을 표준정규분포표를 이용하여 구한 것은? (단, 무게의 단위는 g이다.)

z	$P(0 \leq Z \leq z)$
1.0	0.3413
1.5	0.4332
2.0	0.4772
2.5	0.4938

① 1.00 ② 1.25 ③ 1.50

④ 2.00 ⑤ 2.25

모집단과 표본

5) 주머니 속에 1의 숫자가 적혀 있는 공 1개, 2의 숫자가 적혀 있는 공 2개, 3의 숫자가 적혀 있는 공 5개가 들어 있다. 이 주머니에서 임의로 1개의 공을 꺼내어 공에 적혀 있는 수를 확인한 후 다시 넣는다. 이와 같은 시행을 2번 반복할 때, 꺼낸 공에 적혀 있는 수의 평균을 $\overline{X}$라 하자. $P(\overline{X}=2)$의 값은?

① $\frac{5}{32}$ ② $\frac{11}{64}$ ③ $\frac{3}{16}$

④ $\frac{13}{64}$ ⑤ $\frac{7}{32}$

6) 정규분포 $N(50, 8^2)$을 따르는 모집단에서 크기가 16인 표본을 임의추출하여 구한 표본평균을 $\overline{X}$, 정규분포 $N(75, \sigma^2)$을 따르는 모집단에서 크기가 25인 표본을 임의추출하여 구한 표본평균을 $\overline{Y}$라 하자. $P(\overline{X} \leq 53) + P(\overline{Y} \leq 69) = 1$일 때, $P(\overline{Y} \geq 71)$의 값을 다음 표준정규분포표를 이용하여 구한 것은?

z	$P(0 \leq Z \leq z)$
1.0	0.3413
1.2	0.3849
1.4	0.4192
1.6	0.4452

① 0.8413 ② 0.8644 ③ 0.8849

④ 0.9192 ⑤ 0.9452

모집단과 표본

7) 어느 과수원에서 생산되는 사과의 무게는 평균이 $350g$이고 표준편차가 $30g$인 정규분포를 따르고, 배의 무게는 평균이 $490g$이고 표준편차가 $40g$인 정규분포를 따른다고 한다. 이 과수원에서 생산된 사과 중에서 임의로 선택한 9개의 무게의 총합을 $X(g)$이라 하고, 이 과수원에서 생산된 배 중에서 임의로 선택한 4개의 무게의 총합을 $Y(g)$이라 하자. $X \geq 3240$이고 $Y \geq 2008$일 확률을 표준정규분포표를 이용하여 구한 것은? (단, 사과의 무게와 배의 무게는 서로 독립이다.)

z	$P(0 \leq Z \leq z)$
0.4	0.16
0.6	0.23
0.8	0.29
1.0	0.34

① 0.0432 ② 0.0482 ③ 0.0544
④ 0.0567 ⑤ 0.0614

8) 어느 공장에서 생산하는 비누 한 개의 무게는 평균이 $100g$, 표준편차가 $8g$인 정규분포를 따른다고 한다. 이 비누를 4개씩 한 세트로 판매한다고 할 때, 비누 4개의 무게가 $392g$ 이상 $416g$ 이하이면 정품으로 판정한다고 한다. 5000개의 세트 중 정품으로 판정되는 것의 개수를 표준정규분포표를 이용하여 구하시오.

z	$P(0 \leq Z \leq z)$
0.5	0.1915
1.0	0.3413
1.5	0.4332
2.0	0.4772

모집단과 표본

9) 어느 제과 공장에서 생산하는 과자 1상자의 무게는 평균이 $104g$, 표준편차가 $4g$인 정규분포를 따른다고 한다. 이 공장에서 생산한 과자 중 임의추출한 4상자의 무게의 표본평균이 ag 이상이고 $106g$이하일 확률을 다음 표준정규분포표를 이용하여 구하면 0.5328이다. 상수 a의 값은?

z	$P(0 \le Z \le z)$
0.5	0.1915
1.0	0.3413
1.5	0.4332
2.0	0.4772

① 99 ② 100 ③ 101
④ 102 ⑤ 103

---

1) ③
2) ④
3) ④
4) ②
5) ⑤
6) ①
7) ①
8) 2664
9) ⑤

모평균의 추정

1. 용어정리

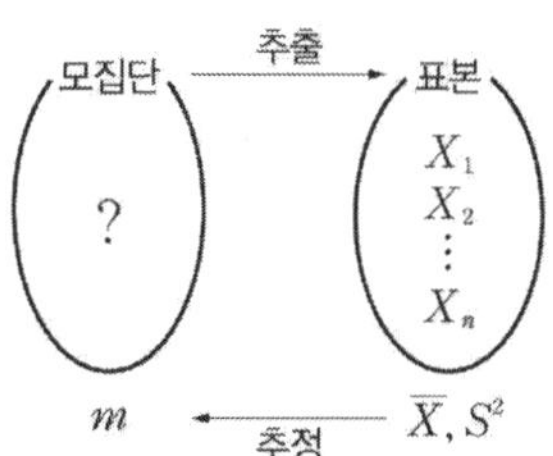

1) 추정: 크기가 n인 표본을 추출하여 얻은 표본평균과
표본분산을 이용해 모평균의 범위를 추정하는 일회성 과정

2) 신뢰도: 추정이 적중할 확률, 신뢰도가 높다고 해서 좋은 데이터가 아니다.

2. 신뢰구간

정규분포 $N(m, \sigma^2)$를 따르는 모집단에서 크기가 n인 표본을 임의추출할 때, 표본평균 $\overline{X}$의 값이 $\overline{x}$이면 모평균 m의 신뢰구간은 다음과 같다.

1) 신뢰도 95%의 신뢰구간: $\overline{x}-1.96\frac{\sigma}{\sqrt{n}} \le m \le \overline{x}+1.96\frac{\sigma}{\sqrt{n}}$

2) 신뢰도 99%의 신뢰구간: $\overline{x}-2.58\frac{\sigma}{\sqrt{n}} \le m \le \overline{x}+2.58\frac{\sigma}{\sqrt{n}}$

3) 모표준편차와 표본표준편차
표본의 크기가 충분히 크면 모표준편차 σ를 표본표준편차 s로 대체할 수 있다.

4) 신뢰구간의 길이

신뢰도 95%: $2\times 1.96\frac{\sigma}{\sqrt{n}}$　　　신뢰도 99%: $2\times 2.58\frac{\sigma}{\sqrt{n}}$

• 표본의 크기 n이 일정할 때
신뢰도가 높아지면 신뢰구간의 길이는 길어지고, 신뢰도가 낮아지면 신뢰구간의 길이는 짧아진다.

• 신뢰도 α%가 일정할 때
표본의 크기 n의 값이 커지면 신뢰구간의 길이는 짧아지고, n의 값이 작아지면 신뢰구간의 길이는 길어진다.

모평균의 추정

예1 어느 공장에서 생산되는 전구의 수명은 정규분포를 따른다고 한다. 이 공장에서 생산된 전구 100개를 임의추출하여 수명을 조사하였더니 평균이 1000시간, 표준편차가 50시간이었다. 이 전구의 수명의 평균 m시간에 대하여 신뢰도 95%의 신뢰구간을 구하시오. (단, $P(|Z| \le 1.96) = 0.95$)

예2 어느 공장에서 생산하는 실의 길이는 표준편차가 $150cm$인 정규분포를 따른다고 한다. 이 공장에서 생산하는 실 중 900개를 임의추출하여 전체 실의 길이의 평균을 신뢰도 95%, 99%로 추정할 때, 신뢰구간의 길이를 각각 a, b라 하자. 이때 $10(b-a)$의 값을 구하시오. (단, $P(|Z| \le 1.96) = 0.95$, $P(|Z| \le 2.58) = 0.99$)

예3 정규분포 $N(m, \sigma^2)$을 따르는 모집단에서 표본을 임의추출하여 모평균을 추정하려고 한다. 신뢰도가 일정할 때, 표본의 크기가 $\frac{1}{64}$배가 되면 신뢰구간의 길이는 k배가 된다. 이때 k값을 구하시오.

모평균의 추정

1) 어느 공장에서 생산하는 축구공의 무게는 정규분포를 따른다고 한다. 이 공장에서 생산한 축구공 중 100개를 임의추출하여 그 무게를 조사하였더니 평균이 $430g$, 표준편차가 $20g$이었다. 이 공장에서 생산하는 축구공 한 개의 평균무게 mg을 신뢰도 95%로 추정한 신뢰구간에 속하는 자연수의 개수를 구하시오.

2) 표준편차가 4인 정규분포를 따르는 모집단의 평균을 신뢰도 95%로 추정할 때, 모평균 m과 표본평균 $\overline{x}$의 차가 1이하가 되도록 하는 표본 크기의 최솟값을 구하시오.
(단, $P(|Z| \leq 2) = 0.95$)

지혜숲 수학전문학원

모평균의 추정

3) 어느 카페 이용객의 카페 이용 시간은 표준편차가 30분인 정규분포를 따른다고 한다. 이 카페 이용객 중에서 36명을 임의추출하여 모평균을 신뢰도 $\alpha\%$로 추정한 신뢰구간의 길이가 18일 때, 다음 표준정규분포표를 이용하여 α의 값을 구하시오.

z	$P(0 \le Z \le z)$
1.8	0.46
1.9	0.47
2.1	0.48
2.2	0.49

4) 정규분포 $N(m, \sigma^2)$을 따르는 모집단에서 크기가 n인 표본을 임의추출하여 그 표본평균을 $\overline{X}$라 하자. 모평균 m의 신뢰도 95%의 신뢰구간이 $a \le m \le b$라 할 때, $b-a=27.44$이다. $P(\overline{X} \ge m+13.72)$의 값을 구하시오. (단, $P(|Z| \le 1.96)=0.95$)

모평균의 추정

5) 어느 마을에서 수확하는 수박의 무게는 평균이 mkg, 표준편차가 $1.4kg$인 정규분포를 따른다고 한다. 이 마을에서 수확한 수박 중에서 49개를 임의추출하여 얻은 표본평균을 이용하여 이 마을에서 수확하는 수박 무게의 평균 m에 대한 신뢰도 95%의 신뢰구간을 구하면 $a \leq m \leq 7.992$이다. a의 값은? (단, Z가 표준정규분포표를 따르는 확률변수일 때, $P(|Z| \leq 1.96) = 0.95$로 계산한다.)

① 7.198　　② 7.208　　③ 7.218
④ 7.228　　⑤ 7.238

6) 어느 회사에서 생산하는 샴푸 1개의 용량은 정규분포 $N(m, \sigma^2)$을 따른다고 한다. 이 회사에서 생산하는 샴푸 중에서 16개를 임의추출하여 얻은 표본평균을 이용하여 구한 m에 대한 신뢰도 95%의 신뢰구간이 $746.1 \leq m \leq 755.9$이다. 이 회사에서 생산하는 샴푸 중에서 n개를 임의추출하여 얻은 표본평균을 이용하여 구하는 m에 대한 신뢰도 99%의 신뢰구간이 $a \leq m \leq b$일 때, $b-a$의 값이 6이하가 되기 위한 자연수 n의 최솟값은? (단, 용량의 단위는 mL이고, Z가 표준정규분포를 따르는 확률변수일 때, $P(|Z| \leq 1.96) = 0.95$, $P(|Z| \leq 2.58) = 0.99$로 계산한다.)

① 70　　② 74　　③ 78
④ 82　　⑤ 86

모평균의 추정

7) 어느 지역에서 수확하는 양파의 무게는 평균이 m, 표준편차가 16인 정규분포를 따른다고 한다. 이 지역에서 수확한 양파 64개를 임의추출하여 얻은 양파의 무게의 표본평균이 $\overline{x}$일 때, 모평균 m에 대한 신뢰도 95%의 신뢰구간이 $240.12 \leq m \leq a$이다. $\overline{x}+a$의 값은? (단, 무게의 단위는 g이고, Z가 표준정규분포를 따르는 확률변수일 때, $P(|Z| \leq 1.96)=0.95$로 계산한다.)

① 486　　② 489　　③ 492
④ 495　　⑤ 498

8) 어느 공장에서 생산하는 제품의 무게는 모평균이 m, 모표준편차가 $\frac{1}{2}$인 정규분포를 따른다고 한다. 이 공장에서 생산한 제품 중에서 25개를 임의추출하여 신뢰도 95%로 추정한 모평균 m에 대한 신뢰구간이 $[a, b]$일 때, $P(|Z| \leq c)=0.95$를 만족시키는 c를 a, b로 나타낸 것은? (단, 확률변수 Z는 표준정규분포를 따른다.)

① $3(b-a)$　　② $\frac{7}{2}(b-a)$　　③ $4(b-a)$
④ $\frac{9}{2}(b-a)$　　⑤ $5(b-a)$

---

1) 7
2) 64
3) 92
4) 0.025
5) ②
6) ②
7) ③
8) ⑤

모비율과 표본비율

1. 모비율과 표본비율

1) 모비율: 모집단에서 어떤 특성을 가진 것의 비율, 기호 p로 나타낸다.

2) 표본비율: 모집단에서 임의추출한 표본에서 어떤 특성을 가진 것의 비율, 기호로 $\hat{p}$과 같이 나타낸다. 이때 크기가 n인 표본에서 어떤 사건이 일어나는 횟수를 확률변수 X라 하면, 그 사건에 대한 표본비율 $\hat{p}$는 다음과 같다. $\hat{p}=\dfrac{X}{n}$

예1 어느 지역 500명의 성을 조사했더니 김씨가 40명이라고 한다. 이 지역 500명을 모집단으로 했을 때, 김씨인 사람의 모비율 p를 구하시오.

예2 어느 고등학교 학생 중 25명을 임의추출 했을 때, 도보로 등교하는 학생이 19명이었다. 도보로 등교하는 학생의 표본비율 $\hat{p}$을 구하시오.

3) 표본비율의 평균, 분산, 표준편차

크기가 n인 표본에서 사건 A가 일어나는 횟수를 확률변수 X라 하면 X는 n회의 독립시행에서 사건 A가 일어나는 횟수이므로 이항분포 $B(n,p)$를 따른다.

$$E(\hat{p})=p,\ \ V(\hat{p})=\frac{pq}{n},\ \sigma(\hat{p})=\sqrt{\frac{pq}{n}}\ \ (q=1-p)$$

예3 어느 동호회에서 혈액형이 O형인 회원의 비율이 20%라 한다. 이 동호회 회원 중 16명을 임의추출하였을 때 O형인 회원의 표본비율 $\hat{p}$에 대하여 다음을 구하시오.

1) $E(\hat{p})$ 2) $V(\hat{p})$ 3) $\sigma(\hat{p})$

모비율과 표본비율

2. 표본비율의 활용

1) 표본비율의 분포

모비율이 p인 모집단에서 크기가 n인 표본을 임의추출할 때, n이 충분히 크면 표본비율 $\hat{p}$에 대하여 다음이 성립한다. (단, $q=1-p$)

① $\hat{p}$는 근사적으로 정규분포 $N\left(p, \frac{pq}{n}\right)$를 따른다.

② $\hat{p}$을 표준화한 확률변수 $Z=\frac{\hat{p}-p}{\sqrt{\frac{pq}{n}}}$는 근사적으로 표준정규분포 $N(0,1)$을 따른다.

③ 표본의 크기 n이 충분히 큰 기준은 $np \geq 5,\ nq \geq 5$이다.

예1 모비율이 0.6인 모집단에서 크기가 600인 표본을 임의추출할 때, $P\left(\hat{p} \leq 0.61\right)$의 값을 구하시오. (단, $P(0 \leq Z \leq 0.5)=0.1915$)

예2 어느 사진 동호회에서 제주도로 출사를 다녀온 회원은 전체의 50%라 한다. 이 동호회의 회원 중 25명을 임의추출할 때, 제주도로 출사를 다녀온 회원의 비율이 45%이상 55%이하일 확률을 구하시오. (단, Z가 표준정규분포를 따르는 확률변수일 때, $P(0 \leq Z \leq 0.5)=0.19$로 계산한다.)

모비율과 표본비율

2) 모비율의 추정

모집단에서 임의추출한 크기가 n인 표본의 표본비율을 $\hat{p}$이라 할 때, n이 충분히 크면,
모비율 p의 신뢰구간과 신뢰구간의 길이는 다음과 같다. (단, $\hat{q}=1-\hat{p}$)

① 신뢰도 95%의 신뢰구간

$\hat{p}-1.96\sqrt{\frac{\hat{p}\hat{q}}{n}} \le p \le \hat{p}+1.96\sqrt{\frac{\hat{p}\hat{q}}{n}}$ (신뢰구간의 길이: $2\times1.96\sqrt{\frac{\hat{p}\hat{q}}{n}}$)

② 신뢰도 99%의 신뢰구간

$\hat{p}-2.58\sqrt{\frac{\hat{p}\hat{q}}{n}} \le p \le \hat{p}+2.58\sqrt{\frac{\hat{p}\hat{q}}{n}}$ (신뢰구간의 길이: $2\times2.58\sqrt{\frac{\hat{p}\hat{q}}{n}}$)

③ n이 충분히 크면 $\sqrt{\frac{pq}{n}}$에서 모비율 p는 표본비율 $\hat{p}$로 대체가능하다.

예 어느 지역의 고등학교 학생 중 1600명을 임의추출하여 떡볶이에 대한 선호도를 조사하였더니 800명이 떡볶이를 선호하였다. 이 결과를 이용하여 구한 이 지역 고등학교 학생 전체의 떡볶이를 선호하는 학생의 비율 p에 대한 신뢰도 95%의 신뢰구간이 $a \le p \le b$이다. $b-a$의 값은? (단, Z가 표준정규분포표를 따르는 확률변수일 때, $P(|Z|\le 1.96)=0.95$로 계산한다.)

지혜숲 수학전문학원

모비율과 표본비율

1) 어느 문구점에 진열된 공책 중 10%는 A회사의 제품이라고 한다. 한 고객이 이 문구점에서 임의로 100권의 공책을 구매했을 때, A회사 제품이 13권 이상 포함될 확률을 표준정규분포표를 이용하여 구하시오.

z	$P(0 \leq Z \leq z)$
0.75	0.2734
1.00	0.3413
1.25	0.3944
1.50	0.4332

2) 어느 회사는 전체직원의 20%가 자격증 A를 가지고 있다. 이 회사의 직원 중에서 임의로 1600명을 선택할 때, 자격증 A를 가진 직원의 비율이 $a\%$ 이상일 확률이 0.9772이다. 표준정규분포표를 이용하여 a의 값을 구하시오.

z	$P(0 \leq Z \leq z)$
2.00	0.4772
2.25	0.4878
2.50	0.4938
2.75	0.4970

모비율과 표본비율

3) 어느 지역 학생 중에서 일주일 동안 7시간 이상 독서를 한 학생의 비율이 36%라고 한다. 이 지역에서 학생 100명을 임의추출할 때, 일주일 동안 7시간 이상 독서를 한 학생이 42명 이하일 확률을 아래 표준정규분포표를 이용하여 구한 것은?

z	$P(0 \le Z \le z)$
1.25	0.3944
1.50	0.4332
1.75	0.4599
2.00	0.4772

① 0.6056 ② 0.8276 ③ 0.8944
④ 0.9332 ⑤ 0.9599

4) 어느 고등학교의 학생 중에서 자전거를 타고 등교하는 학생의 비율은 25%라고 한다. 이 고등학교의 학생 중에서 300명을 임의로 추출할 때, 그 중 자전거를 타고 등교하는 학생의 비율이 α%이상일 확률은 0.0228이다. 아래 표준정규분포표를 이용하여 구한 α의 값은?

z	$P(0 \le Z \le z)$
1.25	0.3944
1.50	0.4332
1.75	0.4599
2.00	0.4772

① 29 ② 30 ③ 31
④ 32 ⑤ 33

모비율과 표본비율

5) 어느 지역 고등학생의 20%가 하루 평균 30통 이상의 문자 메시지를 보낸다고 한다. 이 지역의 고등학생 중 임의추출한 100명 중에서 하루 평균 30통 이상의 문자메시지를 보내는 학생의 비율이 16%이상 26%이하일 확률을 표준정규분포표를 이용하여 구한 것은?

z	$P(0 \le Z \le z)$
1.00	0.3413
1.50	0.4332
1.75	0.4599
2.00	0.4772

① 0.6826 ② 0.7745 ③ 0.8664
④ 0.9054 ⑤ 0.9660

6) 어느 지역의 고등학생 중에서 100명을 임의추출하여 조사한 결과, 최근 1년 이내에 헌혈을 한 학생이 30명이었다. 이 결과를 이용하여, 이 지역 전체 고등학생 중 최근 1년 이내에 헌혈을 한 학생의 비율 p에 대한 신뢰도 95%의 신뢰구간을 구하면
$0.3-1.96\times\sqrt{a}\le p\le 0.3+1.96\times\sqrt{a}$이다. 상수 a의 값은? (단, Z가 표준정규분포를 따르는 확률변수일 때, $P(0\le Z\le 1.96)=0.475$로 계산한다.)

① 0.0021 ② 0.0024 ③ 0.0027
④ 0.0030 ⑤ 0.0033

모비율과 표본비율

7) 어느 도시에서 100명을 임의추출하여 거주 선호도를 조사한 결과 90명이 살기 좋다고 응답했다. 이 결과를 이용하여 도시주민 전체의 거주 선호도 비율에 대한 신뢰도 95%의 신뢰구간이 $[\hat{p}-c, \hat{p}+c]$일 때, c의 값은? (단, Z가 표준정규분포를 따르는 확률변수일 때, $P(0 \leq Z \leq 1.96)=0.475$로 계산한다.)

① 0.0431　② 0.0588　③ 0.0645
④ 0.0759　⑤ 0.0816

8) 어느 고등학교 1인 미디어 방송을 시청한 경험이 있는 학생의 비율을 알아보기 위하여 이 고등학교 학생 중 n명을 임의추출하여 조사한 결과 90%가 시청한 경험이 있다고 답하였다. 이 결과를 이용하여 구한 이 고등학교 학생 전체의 1인 미디어 방송을 시청한 경험이 있는 학생의 비율 p에 대한 신뢰도 95%의 신뢰구간이 $0.9-c \leq p \leq 0.9+c$이다. $c=0.0294$일 때, n의 값을 구하시오. (단, Z가 표준정규분포를 따를 확률변수일 때, $P(|Z| \leq 1.96)=0.95$로 계산한다.)

모비율과 표본비율

9) 어느 회사의 직원 중 임의로 300명의 출근 소요 시간을 조사한 표이다.

소요시간	인원수(명)
30분 미만	12
30분 이상 60분 미만	63
60분 이상 90분 미만	150
90분 이상 120분 미만	75
합계	300

이 결과를 이용하여 얻은 이 회사의 전체 직원 중 출근 소요 시간이 60분 이상 120분 미만인 직원의 비율 p에 대한 신뢰도 95%의 신뢰구간이 $a \le p \le b$일 때, $4000(b-a)$의 값은? (단, Z가 표준정규분포를 따르는 확률변수일 때, $P(|Z| \le 1.96) = 0.95$로 계산한다.)

① 392 ② 784 ③ 1176
④ 1568 ⑤ 1960

1) 0.1587
2) 18
3) ③
4) ②
5) ②
6) ①
7) ②
8) 400
9) ①

빠른정답

$p.1$	예1 81 예2 384 예3 125
$p.2$	예4 540 예5 900 예6 1024
$p.3$	예1 30 예2 78 예3 34
$p.4$	예1 60 예2 180 예3 90
$p.12$	예1 21 예2 6 예3 28 예4 10 예5 36
$p.13$	예1 210 예2 56 예3 55
$p.17$	예1 -40 예2 20 예3 -6
$p.19$	예1 $n=6$ 예2 2^{14} 예3 2
$p.23$	예1 1) 64 2) 24 3) 4 4) 20
$p.24$	예1 30 예2 36 예3 80
$p.30$	예1 $\frac{1}{3}$ 예2 320회
$p.31$	예1 $\frac{63}{200}$ 예2 $\frac{1}{2}$ 예3 $\frac{11}{12}$
$p.35$	예1 $\frac{1}{3}$ 예2 $\frac{8}{13}$
$p.36$	예1 $\frac{7}{24}$ 예2 0.34 예3 $\frac{2}{7}$
$p.41$	예1 $\frac{3}{10}$
$p.42$	예2 $\frac{8}{27}$ 예3 $\frac{3}{8}$
$p.48$	예1 $P(X=x)=\frac{{}_4C_x \times {}_3C_{3-x}}{{}_7C_3}$ $(x=0, 1, 2, 3)$
$p.49$	예2 $-\frac{6}{7}$ 예3 3 예4 $\frac{3}{4}$
$p.51$	예1 120원
$p.52$	예2 $\frac{11}{4}$ 예3 5 예4 $E(3X+2)=5$, $V(-3X+2)=3$

빠른정답

$p.57$	예1 21 예2 8
$p.58$	예1 12 예2 59
$p.66$	예1 ㉠,㉡,㉣ 예2 $\frac{2}{3}$ 예3 $\frac{7}{10}$
$p.67$	예 ㉠,㉢
$p.69$	예 0.3085
$p.70$	예1 15 예2 1) 0.4332 2) 0.0228 예3 $k=65$
$p.71$	예4 11.51% 예5 525점 예6 0.8185
$p.76$	예1 평균: $\frac{2}{3}$, 분산: $\frac{4}{9}$ 예2 $\frac{85}{4}$ 예3 0.0228 예4 0.0668 예5 36 예6 39.25
$p.83$	예1 $990.2 \le m \le 1009.8$ 예2 62 예3 8
$p.88$	예1 $p=\frac{2}{25}$ 예2 $\hat{p}=\frac{19}{25}$ 예3 1) 0.2 2) 0.01 3) 0.1
$p.89$	예1 0.6915 예2 0.38

$p.90$	예 0.049